13 唐代
西元618～906年

［注音本］

全新 吳姐姐講歷史故事

吳涵碧◎著

目錄

【第289篇】

唐玄宗六兄弟共枕同眠。

唐玄宗是唐代在位最久的君主，他所造成的『開元之治』更是唐朝國勢顛峯的表現。

玄宗即位之初，唐朝經歷了韋后及太平公主兩次大亂，唐玄宗以一股凌厲的銳氣，積極地重整家聲。

唐玄宗知道，如果要治國，必須先要齊家。從魏晉南北朝到唐初，我們已介紹過許多因爲爭奪皇位，骨肉相殘的悲劇。即使如唐太宗之英明，仍然不可避免玄武門之變，親手殺死了哥哥建成。唐玄宗的得位，情況有些類似唐太宗。唐太宗是老二，唐玄宗是老三，同樣不是長子，也同樣建有奇功奪得天下，使得做父親的左右爲難，不曉得該把皇位傳給誰。

或許就是因爲有『玄武門之變』的前車之鑑，唐睿宗的機智，加上長子李成器的承讓，才使得玄宗順利登基。

玄宗與兄弟之間一向十分友愛，在一般民間，兄友弟恭本來是常見的事，沒有什麼特別。可是在皇宮之中就稀奇得很，因爲每個王子生下來以後，都分別住在不同的宮室，由不同的乳母養育，平常甚少接觸，談不上什麼感情，更由於爲了爭奪權力，骨肉相殘是常有之事，所以唐玄宗的敦

睦友誼值得大書特書。

唐玄宗對他的哥哥：宋王李成器、申王李成義，兩個弟弟：岐王李範、薛王李業，從弟豳王李守禮都十分照顧。

在他即位之初，特別吩咐下面，準備一張特大號的床，兄弟六人長枕大被睡在一塊兒抵足而眠，可見得親熱之一斑。退朝之後，兄弟們一塊鬥雞或者是擊毬。擊毬就是打馬球，騎在馬上擊球，這是唐朝貴族最喜愛的野外娛樂活動之一，這種運動，需要有高超的騎術、壯健的身體以及勇武的精神，唐玄宗是個中高手。

唐玄宗還喜歡邀兄弟們一塊去打獵，晚上在別墅休息，彼此講論賦詩、飲酒博弈，甚至還舉行家庭小小音樂會：李成器善於吹笛，李範喜彈琵琶，玄宗本人更是妙解音律。他曾選擇三百伶人在梨園受教，因此我們把演劇之所稱之爲梨園，唱劇的優伶稱爲梨園子弟。

玄宗與兄弟們玩耍之時，彼此之間行家人禮，他從不擺出皇帝高高在上的威風。只要任何一個兄弟生了病，玄宗爲之終日不食，終夜不寢。上朝理政也放不下心，不斷地交代宦官們：『去看看情況如何，趕緊前來通報。』

等到來人通報之後，沒有隔多久，他又下令：『再去看一看。』像這樣，在短短的時間之中，竟然來往十次之多，但是玄宗仍然牽腸掛肚，恨不得自己前去照料。

有一次，李業病了，唐玄宗十分著急，親自爲這個弟弟煮藥。忽然之間，颳來一陣大風，使燒藥的火苗燃到玄宗的鬍鬚，左右大驚失色，急忙營救。

唐玄宗對此並不後悔，他說：『假使薛王（即李業）飲此藥而癒，何足惜哉！』

其實，貴爲帝王，那用得著自個兒煎藥，此不過表示他手足之情濃厚。至於宋王李成器，本來是應即帝位之長子；他尤其恭敬謹慎，從來不談論時政，而且李成器盡量避免與臣子交結，以免引起不必要的誤會。

正因爲李成器十分守本分，玄宗特別信重他。左右想要挑撥離間者，也沒有辦法下手。不但李成器是這樣，其他五個兄弟，玄宗爲著防範別人利用煽動，也嚴禁群臣與諸王祕密往來。

在玄宗還沒有當皇帝之前，被賜藩邸於興慶坊。在這兒，就時常與其他五王共聚一塊。後來搬到皇宮當天子之後，改建藩邸稱爲興慶宮，在宮的周圍，他爲五個兄弟各建了一座富麗堂皇的宅第，號爲五王宅。更在興慶宮之東南角，建造了兩座樓臺，一座題爲『勤政務本之樓』，另一座題爲『花萼相輝』之樓。意思是說一登此樓，即可見五王第宅像花與花萼一般相輝映。

由於玄宗與五兄弟手足情深，所以五王均得善終。開元十四年，岐王李範因病去世時，玄宗爲之痛哭三日，並且寫孝經一部哀悼之。玄宗對兄弟之友愛，雖爲私事，但是骨肉之禍，每每影響大局，所以這是他挽救政風的第一要務。

唐玄宗不但注意齊家，更重視修身工夫。開元二年七月，他下了一道詔令：『乘輿衣物、金銀器玩，宜令有司銷毀，以供軍國之用，珠玉錦繡，焚於殿前，后妃以下，皆毋得服珠玉錦繡。』如果違反此令，『杖一百』——就是打一百板屁股，他更把專爲皇宮供應上等衣料的兩京織錦坊給關閉了。

在八月，他又聽說民間盛傳皇宮要挑選美女，充入後宮。玄宗爲闢謠，把後宮中無用的佳麗載還其家，並且敕曰：『燕寢之內的宮人，尚且罷遣，閭里之中，當知沒有采擇女子之事。』

子曰：『修身、齊家、治國、平天下』，唐玄宗切實做好了修身、齊家，他如何進一步的治國、平天下？

閱讀心得

【第290篇】

開元之治。

開元是唐玄宗初期的年號，共有二十九年，它是唐太宗貞觀之治後唐朝第二個盛世，是初唐國勢的顛峯表現。唐朝的大詩人杜甫曾經寫一首詩『憶昔』形容當時的物阜民豐：『憶昔開元全盛日，小邑猶藏萬家室。稻米流脂粟米白，公私倉廩俱豐實。』

開元期間之所以能如此富足，除了唐玄宗謹慎從政之外，最主要的是他任用了姚崇、宋璟兩位賢相。

姚崇是武則天時代的老臣，他的本名是姚元之，爲著避『開元』的元字，改名爲姚崇。在開元元年受拜爲宰相，就任之初，先向玄宗陳出武則天之後的十件積弊，以及改革政風的要圖，這是歷史上有名的一篇文章，稱之爲『十事要說』。

姚崇處事敏捷，善於應變，他自比爲管仲、晏子，爲官清廉。開元四年，姚崇工作辛勞，累得生病了，他因爲沒有自己的宅第，只有在罔極寺中養病。(在古代，因爲是家族社會，往往一個人做了官，家族中所有大大小小都由一個人供養。所以爲官清廉者，十分清苦，例如我們以前介紹的魏徵也是如此。)

宰相生病了，唐玄宗十分著急，派人去打聽，才知道姚崇得了瘧疾，

忽冷忽熱。玄宗一天之中遣人問候不下數十回。

姚崇生病了，他的職務由黃門侍郎、同平章事源乾曜代理。每次源乾曜上前奏事，唐玄宗若是聽著滿意，順口而出：『此必姚崇之謀也。』

源乾曜急忙叩謝道：『實在如此。』

萬一玄宗皺起眉頭不甚滿意，他知道這八成是源乾曜自己的主意，於是下令：『何不與姚崇議之。』

凡有大事，源乾曜就奉了聖旨往廟裏跑，跑來跑去實在累壞了。於是他建議：『何不還崇於四方館？』

玄宗馬上答應，讓姚崇搬到中書省的四方館，由姚崇的家人照料病情。

姚崇不願意搬入，因爲四方館是辦公之地，怎可用來養病？再三辭謝。

『設四方館，爲官吏也，使卿居之，爲社稷也，朕恨不使卿搬到禁中，你有什麼好推辭的？』玄宗仍然堅持。

在這樣盛情難卻的情形下，姚崇只好搬入四方館。

姚崇當了三年宰相之後，天下大治，宋璟繼任爲相。宋璟爲人凝重，守法持正，喜歡直諫，作風有點兒像唐太宗時代的魏徵。除了姚崇、宋璟兩人可以媲美房玄齡、杜如晦之外，尚有盧懷慎、張九齡、韓休等相臣都以清廉正直著名。因爲正人君子當道，使得唐朝從高宗以來的奢淫貪縱的風氣爲之一變。

唐玄宗不但勤儉治國，而且好學不倦，他對宰相說：『朕每讀書，有所疑惑壅滯之處，無從質問，可選儒學之士，輪流入內侍讀。』

於是，盧懷慎推薦了兩位學者——馬懷素、褚無量做爲唐玄宗的老師。馬懷素是潤州人，小時候家中很窮，點不起蠟燭，只好白天去撿一些人家不要的木柴屑，夜晚燃著讀書。他博覽經史，文章寫得很好，一舉高中進士。

褚無量也是苦學成名的大學問家，他是杭州人，幼孤貧，勵志好學。家中附近有一個臨平湖，湖中時常有龍鬥，整個鄉里都跑去看熱鬧，只有他一個人安坐在書桌之前，一動也不動，這時，他才只有十二歲，就有如此定力，難怪考取明經科。

考試制度是中國的良法美制，它鼓勵有志的年輕人向學，所以有人批評我國古代爲封建社會是不正確的。在中古歐洲，爸爸當鞋匠，兒子只能當鞋匠，這才是封建，而我國一向是將相本無種，男兒當自強。

自從這兩位學者請入宮中侍讀以來，唐玄宗爲著尊師重道，對他們非常禮遇，不但准許乘轎子入宮門，而且往來兩館之間，特准騎馬，完全是對待師傅之禮。

尤其，褚無量年紀較大，玄宗體恤他行動不便，特別爲他製造了腰輿。這種轎子擡起來，剛好與腰平，便利褚無量上下，可見玄宗的敬重讀書人。

玄宗爲防止人多壅塞，造成鑽營奔競的風氣，限定明經、進士兩科，每歲不得超過一百人。安樂公主時代，她用撒嬌方法，蒙蔽父皇中宗所封的斜封官，一概予以罷除。

此外，玄宗恐怕佛教過度盛行，影響華夏文教，在開元二年，命令淘汰僧尼，勒令還俗，禁止建寺院、寫佛經，又整理財經，清查户籍。據說米價便宜到一斗十三個錢，山東一帶，更只要三錢，旅客行『千里不持尺兵（尺兵就是短短的武器）』，不必怕有壞人搶刼。在貞觀時代，全國人口約爲兩千餘萬，到了開元時期，則增加到將近爲五千萬人。

總之，在玄宗勤儉治國的努力下，呈現空前的繁榮，四方外族，爭來朝貢。長安城裏雲集了各國的使臣商賈，熱鬧非凡，史稱爲開元之治。

閱讀心得

【第291篇】

李林甫口蜜腹劍。

唐玄宗即位之初，戰戰兢兢，任用姚崇、宋璟等正直大臣，勤儉建國，造成中國歷史上有名的太平盛世，史家稱之爲開元之治。

然而，到了開元的末年，唐玄宗漸漸進入中暮之年，眼看天下太平，豐衣足食，慢慢失卻了戒慎之心，淪於享樂的生活，加上朝臣不斷的在耳旁歌功頌德，使得唐玄宗飄飄然，產生一種狂妄自大的錯覺。在志滿意驕的情況之下，用人輕率，奢靡浪費，內宮妃嬪衆多，朝政不太放在心上，於是不辨忠奸，歷史上有名的奸臣李林甫應時崛起。

李林甫是唐高祖從父弟長平王叔良的曾孫，開元初年，被任命爲太子中允。當時，源乾曜爲侍中，乾曜的兒子對父親説：『李林甫求爲司門郎中。』

源乾曜一口就回絕了。『郎官需要品德才能高的人才能擔任，哥奴豈是郎官的料？』哥奴就是李林甫的小名。

源乾曜看出李林甫非善類，不願意提拔他。可是李林甫因有本事鑽到刑部、吏部當侍郎，而且削尖了腦袋，準備向上竄。

李林甫這個人柔佞狡猾，一張笑臉，做人周到，講起話來甜言蜜語，心裏頭是時時刻刻設計害人。口有蜜，腹有劍，當時的人稱之爲口蜜腹劍，

這也就是『口蜜腹劍』成語的由來。

李林甫當上吏部侍郎以後，開始積極與宦官及妃嬪之家交往。由於宦官及妃嬪是伺候皇上的，所以唐玄宗的一舉一動，李林甫總是第一個知道，也了解皇上的心意，上朝奏對，總能揣摩到玄宗的心意。玄宗對他相當欣賞。

當時，唐玄宗最寵愛的妃子是武惠妃，而且想把她扶正爲皇后。可是臣子們不同意，因爲唐朝剛剛去掉一個武則天，對武家的人，心懷畏懼，紛紛上言：『武氏乃不共戴天之仇，豈可爲國母？』

唐玄宗不得已，只好打消此意。不過，武惠妃在宮中所受的禮遇，與皇后娘娘是一樣的，由此可見，唐玄宗對她的疼愛。

李林甫捉住這個機會走內線，他對武惠妃說，願意盡量的保護惠妃的兒子壽王李瑁，設法讓壽王當皇帝，武惠妃心中很感激。於是在她的協助下，李林甫升到了黃門侍郎。

開元二十二年，李林甫與大文學家張九齡同時任相。張九齡是開元期間最後的一位賢相，有魏徵之風。可惜唐玄宗不是唐太宗，沒有納諫之美德，他聽慣了阿諛之詞，不能忍受唱反調的忠臣之士。

由於太子瑛（趙麗妃所生）、鄂王瑤（皇甫德儀所生）、光王琚（劉才人所生）這三個人，因爲母親失寵，不免有些埋怨。武惠妃把這件事告訴唐玄宗，唐玄宗大爲不高興，想要廢掉太子。

張九齡反對說：『太子國本，奈何以一時之間喜怒廢之。以前晉獻公聽驪姬之讒言，殺了公子申生，天下大亂；隋文帝納獨孤皇后之言，廢太子勇，立煬帝，遂失天下；由此觀之，不可不慎。陛下必爲如此，臣不敢奉詔。』

這番話，說得極不動聽，唐玄宗緊鎖眉頭。

李林甫在朝廷上沒有開口，退朝之後，悄悄地對宦官說：『此皇上家事，何必問外人？』

當宦官把李林甫的話傳到了唐玄宗耳中，唐玄宗自然發現李林甫之可愛與張九齡之可厭了。

自古以來，一心爲國做事的和一心做官的向來意見相左。因爲做事的，心中想的是如何爲國爲民，難免忠言逆耳；可是會做官，懂得官場手段的，卻只會拍馬屁，爲自己的官途動腦筋。

不久，張九齡與李林甫又起了爭執。

有一個叫牛仙客的朔方節度使，很有才能，在他的領導之下，倉庫充實，器械精利，唐玄宗想要加牛仙客爲尚書。

張九齡立刻曰：『不可！』他的理由是：『尚書就是古代的納言，從唐朝建國以來，只有舊相及中外有德望者才可爲之。牛仙客不過是河西節度使判官，忽然之間，列爲清要之職，恐怕是朝廷之羞！』

『那麼，加實封如何？』唐玄宗問道。加實封就是封爵位之意。

『還是不行，』張九齡又曰：『邊將實倉庫，修器械，不足爲功，賜之金帛可也。』

李林甫在旁道：『仙客，乃宰相才也，尚書一職對他又有何難？九齡乃一書生，不識大體。』

這句話玄宗聽了才窩心，第二天，準備給牛仙客實封，不料，張九齡又固執地反對，玄宗變了臉色：『凡事都聽卿的嗎？』張九齡叩了一個頭道：『陛下不以臣愚，使臣爲宰相，臣不能不言。』

唐玄宗嘆了一口氣：『卿嫌仙客出身寒微嗎？』『那倒不是，』張九齡解釋道：『仙客目不識丁，若大任之，恐不合衆望。』

原來，牛仙客不識字，李林甫還説他是相才，未免過分。可是李林甫仍然説：『苟有才識，何必識字，天子用人，有何不可？』最後，賜牛仙客爲隴西縣公。

閱讀心得

【第292篇】張九齡罷相職。

唐玄宗因爲天下承平，百姓安樂，失去了開元初年兢兢業業的奮發心理，漸漸沉迷於享樂之中，而且任用了口有蜜、腹有劍的大奸臣李林甫爲相。李林甫與另一位正直的宰相張九齡不合。

事實上，在唐玄宗準備用李林甫爲相，徵詢過張九齡的意見。他當時就反對：『宰相繫國家之安危，陛下用李林甫爲相，臣恐將爲宗廟社稷之憂。』玄宗不悅，仍然用李林甫爲相。

唐玄宗本身原是一個很有才能的君主，但是，他又是一個喜歡分層負責的天子。當初，玄宗用姚崇、宋璟爲相時，就是對宰相願意付以重任。從一件小事即可證明。

在開元元年十月，姚崇爲郎吏之事請奏玄宗，玄宗只是望著殿堂的天花板，一句話也不開口。姚崇一問再問，玄宗還是不應聲。

姚崇心想一定是那兒冒犯天威了，嚇得退朝而出。

下朝之後，唐玄宗最寵信的太監高力士上諫『陛下新總萬機，宰相奏事，爲何不理？』

『朕任他爲宰相，如有大事當奏聞共議之，郎吏小事何以一一煩朕？』

原來是這麼一回事，高力士趕緊通報姚崇。姚崇鬆了一口氣，也佩服

玄宗的信任人。

正因爲玄宗的想法是，小事皆委宰相，『不必一一煩朕』，因此他不願意宰相之間有不合的現象，凡有不合，必罷相位。例如開元二十一年，宰相蕭嵩、韓休不合，玄宗把他倆一塊罷去。如今，張九齡與李林甫又不合。

李林甫知道張九齡反對他當宰相，心裏恨透了張九齡，可是表面上仍然曲意順從。因爲張九齡乃當時的大文豪，他在九歲就能作文章，天下聞名，唐玄宗在做太子之時，舉天下文藻之士，親自策問，張九齡高中第一。

唐朝是一個文學興盛的朝代，據說當時『登高不能賦者，童子大笑』。就是說萬一有個人登山到了高處，竟然不能賦一首詩形容心境，連小孩子都會笑你沒學問，是一個草包。

再加上玄宗本身最敬慕文學家，張九齡的地位更高了。大家所熟悉的唐詩三百首，翻開來第一篇『感遇』就是張九齡的作品，所以李林甫表面仍得敷衍敷衍。

李林甫因爲自己肚子裏的墨水不多，當然不願意用比他強的人。在上一篇，我們說過，李林甫堅持要用目不識丁的牛仙客，如今他又舉用蕭炅爲戶部侍郎。

蕭炅是個不學無術的人。有一次他與中書侍郎嚴挺之一同去應酬，在宴會中，拿起一本《禮記》，把伏臘唸成了伏獵，伏日臘日乃冬夏之季節。嚴挺之故意戲弄他：『伏獵？』沒想到蕭炅還是讀錯，而且根本不知道自己錯，嚴挺之不禁皺緊了眉頭。

現在聽説蕭炅竟然要擔任戶部侍郎，嚴挺之大生反感，對張九齡一抱拳道：『臺閣之內，豈能容伏獵侍郎？』於是，滿口白字的蕭炅改任命爲岐州刺史，做不到戶部侍郎。李林甫覺得臉面無光，氣惱不已。

嚴挺之娶了一個妻子，後來因故離婚了，又改嫁給蔚州刺史王元琰。元琰犯了罪，嚴挺之幫忙營救寬解，李林甫把這件事報告唐玄宗，唐玄宗要治嚴挺之的罪。

張九齡解釋道：『此乃挺之已離婚的妻子，兩人已沒有關係。』

『雖已離異，乃復有私情。』唐玄宗趁此機會罷去張九齡之相職。

張九齡既然得罪了李林甫，落此下場。從此之後，朝廷之中的大臣，個個明哲保身，不敢再直言。

因此，有些史家認爲，開元二十四年，張九齡罷相職，唐玄宗專任奸臣李林甫，是唐朝由盛而衰之一大關鍵。

去掉張九齡之後，李林甫爲自尊大權，召集諫官，挑明了威脅：『現在明主在上，羣臣順從還來不及，不必再多言，諸君不見立仗馬嗎？食三品料，一鳴則斥去，悔之何及？』

立仗馬是站在宮殿門外儀隊用的馬，威風凜凜又神氣，又沒有什麼事。可是不能亂吼，萬一不該叫的時候長嘶一聲，就沒辦法當立仗馬了。

李林甫的意思是說，各位諫官應該像立仗馬一般乖乖地站著別動，自有享不盡的榮華富貴，要是上諫皇上，那就只有走路了。

有一位補闕杜璡不信邪，上書向皇帝奏事，第二天，立刻被黜爲下邽令。從此，沒有人敢開口了。

自從張九齡除去相職之後，牛仙客與李林甫搭檔。牛仙客本來不是當宰相的料，又是李林甫一手提拔，只有唯唯諾諾，一切聽命於李林甫，樣樣不敢裁決。

百官之中有奇才美德者，都終老於原職，巧諂奸邪者，則不次陞遷。李林甫城府深，心思密，嘴巴甜得不得了，暗中卻能不露痕跡狠狠來上一刀。他只要看出玄宗喜歡那一個臣子，立刻前往巴結示好，等到這個人的地位漸漸擡頭，稍微對他有一點兒威脅，馬上想辦法去掉，即使是老奸巨猾的，也鬥不過他。

閱讀心得

【第293篇】楊貴妃天生麗質。

在〈李林甫口蜜腹劍〉一篇中，我們說到，唐玄宗對武惠妃百般寵愛，想要扶正她當皇后。可是武惠妃乃是武家的人，唐朝人被武則天嚇壞了，反對武惠妃爲后，因此作罷，但是惠妃在宮中之禮遇與皇后毫無差別。

惠妃在開元二十五年去世，年僅四十餘歲，追贈貞順皇后。

唐玄宗對惠妃思念不已，長吁短嘆，後宮雖然有數千佳麗，沒有一個合意的。此時有臣子上報，說是壽王妃楊氏之美，舉世無雙，壽王是唐玄宗與武惠妃所生的兒子。於是，唐玄宗這個公公，就從兒子手中搶走了媳婦。

此位楊妃，從小是個孤兒，由叔父養大。她長得肌態豐豔，美若天仙，唐玄宗一眼就看中意了。於是先讓她去當女道士，號太眞，與壽王離婚，再把太眞迎入宮中，這就是歷史上天下有名的美女——楊貴妃。

唐朝大詩人白居易在〈長恨歌〉中這樣形容著：『漢皇重色思傾國，御宇多年求不得。楊家有女初長成，養在深閨人未識。天生麗質難自棄，一朝選在君王側。回眸一笑百媚生，六宮粉黛無顏色……』

意思是說：唐明皇貪愛美色，治理天下多年，一直沒有找到中意的。有一個姓楊的人家，正好有一個嬌女方才長大，養在深閨之中，別人還沒

有發現她的絕色。可是她天生如此美貌，終究不會被捨棄的，所以有一天就被選入宮中，陪侍在君王身旁。她只要眼波一轉，千嬌百媚，無比動人，使得後宮中三千佳麗，相比之下，黯然失色。

楊貴妃不但人生得美艷，而且擅長音律，與唐玄宗不謀而合，又懂得撒嬌逢迎。不到一年之中，她所受到的寵愛已經超過當年的武惠妃，宮中上上下下稱之爲娘子。

中唐以前，尚武之風盛行，女子也常常騎馬。楊貴妃每次騎馬，都由唐玄宗最寵愛的太監高力士執轡授鞭，伺候她上下馬，可見其神氣。

爲著不斷供應楊貴妃的新衣裳，一共有七百個織繡工人，日夜爲她裁製。有襦、衫、袴、裙、半臂、披帛、袍、襖、帶等。楊貴妃還有一種新款式，稱之爲『鴛鴦並頭蓮錦袴襪』又稱爲『蓮覆』，類似今天流行的袴襪，乃當時時髦之物。她還有不少露背裝，因爲唐朝婦女有袒胸之習。這絕不是漢人固有服裝，必是胡人文化的影響。

天下人都知道唐玄宗寵愛楊貴妃，因此爭獻器服珍玩巴結她，嶺南經略使張九章、廣陵長史王翼所孝敬的東西特別精美。一個加了三品官，一個做了戶部侍郎，消息傳出，天下人更搶著獻寶了。

楊貴妃喜歡吃新鮮的荔枝，又香又甜又多汁，可是長安城裏沒有荔枝，荔枝是產在嶺南地方的水果。唐玄宗爲著討她歡喜，命令快馬從驛道爲她趕運荔枝，運到長安之時，仍然是異常新鮮，色味不變。

從趕運荔枝，我們可以發現，唐朝的交通發達，往來便利，否則楊貴妃也吃不到荔枝了。今天我們國內盛產的荔枝又大又紅到處有得賣，可說得上比楊貴妃還要享受。

由於楊貴妃是三千寵愛在一身，『遂令天下父母心，不重生男重生女』。民間流行一首歌謠：『生男勿喜女勿悲，君今看女作門楣。』在古代，女子沒有地位，所以生女能撐住門戶很不簡單。

唐明皇對楊貴妃的要求，從來沒有打回票的。楊貴妃不免恃寵而驕，妬悍不遜，天寶五年七月裏，唐玄宗大發脾氣，把楊貴妃趕回她哥哥楊銛的家中。

第二天直到中午，唐玄宗仍然不開心，飯也不肯吃，在身邊伺候他的，莫名其妙都挨了揍。

高力士爲試探唐玄宗的意思，請求將貴妃之物送回去，一共運了一百多車。唐玄宗還分了一些御膳一塊帶去，這分明表示是想念她。當天晚上，高力士奏請貴妃歸院。唐玄宗答應了，楊貴妃又回來了，兩人的感情比以前更濃。

天寶九年二月裏，楊貴妃又因爲忤旨，再次被唐明皇趕了回去。户部郎中上奏道：『婦人識見思慮不遠，違忤聖上心意，陛下何不使之在宮中賜死也就算了，何必把她趕出去在外面受辱？』

其實，剛剛趕走楊貴妃，唐玄宗馬上就後悔了，又派了宦官賜以御膳。

楊貴妃對著送御膳來的太監哭著說：『妾罪當死，陛下不殺我，放我回家，今後當永離宮闈，我的金玉珍玩都是陛下所賜，不足爲獻，唯髮者父母所與，敢以薦誠。』說著剪下一綹青絲，讓使者帶回去。

唐玄宗撫弄著這一綹頭髮，往日百般恩愛浮現在眼前，他覺得一刻也不能再忍受相思之苦了，立刻命令高力士再把楊貴妃請回。畢竟唐玄宗與楊貴妃之間是有感情的，與一般皇帝玩弄宮女有所不一樣。

我們後代用『環肥燕瘦』形容美人體態各有不同，各有千秋。燕是指趙飛燕，身輕如燕；環肥就是形容楊貴妃，她本名叫玉環。不過，所謂『肥』應做健美講，並不是肥墩墩的，唐朝人喜歡高頭大馬健壯的女子，以此爲審美標準，與宋朝之後林黛玉式弱不禁風完全不同。國勢強的時候，連女子都是豐腴爲美，能夠騎馬射箭。今天我們的男子，流行戴項鍊，拿女用皮包，娘娘腔又脂粉氣，實在不是國家之福。

閱讀心得

【第294篇】麗人行。

唐玄宗認爲國家富饒，所以視金錢如糞土，好奢侈、愛享樂。在天寶六年，改溫泉宮爲華清宮。華清位於陝西臨潼縣南邊的驪山，驪山之上有富麗堂皇的宮稱爲驪宮，他常與楊貴妃在此通宵達旦的狂歡。

大詩人白居易〈長恨歌〉中的『春寒賜浴華清池，溫泉水滑洗凝脂……驪宮高處入青雲，仙樂風飄處處聞』就是形容這一段豪華綺麗的生活。除了楊貴妃本人備受恩寵之外，她的三個姊姊也並承恩澤，勢傾天下。分別被封爲韓國夫人、虢國夫人、秦國夫人，三人都是國色天香，才貌雙全，唐明皇呼之爲姨。

這三位夫人之中又以虢國夫人最爲美麗，唐朝詩人張祜曾寫了一首詩來形容——『虢國夫人承主恩，平明騎馬入宮門。卻嫌脂粉污顏色，淡掃蛾眉朝至尊』——這首詩的意思是說，虢國夫人受到君主恩寵，她在天明時候，騎著馬進入了宮門。她天生清麗，所以不施脂粉，以免損害了原來的容顏，只是用青黛在眉毛上輕輕刷了一下，就來見皇帝了。至尊就是天子的意思。如今我們就用『淡掃蛾眉』形容婦女化淡粧。

韓國、虢國、秦國三位夫人，凡是有所請託，府縣中的官吏，一刻也不敢怠慢，簡直和領了聖旨差不多。要請求她們三姊妹幫忙者，都不約而

同的擠到門上了。惟恐遲了一步，錯過大好時機，因此門庭朝夕如市。唐玄宗對她們頒賜之多，四方獻遺之富，堪稱天下第一。這三姊妹都極其奢侈，尤其喜歡比賽建造房舍，不造則已，一造定是動輒千萬以上。等到房子造好了，發現有別人的房子比自己的更大更美，一氣之下，立刻把新房子夷爲平地，重新再建。其中虢國夫人尤其任性，爲著自個兒造新屋，有一天，突然帶人闖入韋嗣立家中，把他的舊屋撤去，就地另建新廈。

如此闊綽的享受，唐玄宗怎麼負擔得起，倒楣的當然還是老百姓。稅捐一天比一天更重，生活一天比一天更苦。大詩人杜甫同情被壓榨的人民，因此寫了不少反映當時生活的忠實紀錄，所以我們稱杜甫爲詩史。

杜甫曾經寫過一篇流傳千古的樂府詩——麗人行，就是諷刺這三位佳麗的。

這首詩的意思是這樣的：

『三月初三這一天，天氣很好，在長安曲江的水邊，有許多佳麗出來遊玩。她們生得是姿態濃豔，情意悠遠，品格既淑麗又貞靜。她們是如此白嫩細膩，骨肉均勻。她們身上所穿著的繡羅衣裳，在暮春時分閃耀著金孔雀與銀麒麟的光芒。

她們頭上戴的是什麼呢？原來是用翡翠毛紮成的花環，巧妙地貼在鬢髮旁邊。從她們的背影可以看出，珍珠綴成的裙褶，襯出身材的曼妙。在這些雲幕之中，我們看到幾個皇親國戚，那就是楊貴妃的姊姊虢國夫人與秦國夫人正在江邊宴會。

宴上都是些難得一見的山珍海味；有從翡翠鍋中端出來紫駝肉峯，水晶盤內端放著白銀似的鮮魚。可惜，雖然是人間美味，她們早已吃慣，早已訓練得口愈來愈刁，所以拿起犀角製的筷子，竟然懶洋洋的不曾下箸。徒然讓這些佳餚堆放在筵席之上。

突然之間，宮中的太監騎著快馬從宮中趕到，連地上灰塵都不曾飛動。原來是唐玄宗送來御廚之中八樣珍品，陸續不斷擺上筵席。

席間笙簫的樂聲，哀感的程度足可驚動鬼神，前來光臨的賓客非常之多，而且都是位居要津的大官兒。

這時，有一個人在後頭騎馬而來，他的行動爲何如此遲緩，爲何又如此神氣？下馬之後，直接走進去，坐在席中錦繡毯子上。

在這美麗的春天裏，楊花像白雪一般地撒落在白蘋上面。青鳥飛入，啣走了一塊婦女用的紅巾。座上這一行皇親國戚，炙手可熱，除了花鳥可與他們接近外，你們要保持距離，可別惹惱了這位剛才來的丞相啊。』

杜甫詩中所說的丞相指的是楊國忠，楊貴妃的遠房堂兄。

楊國忠與虢國夫人是鄰居，往來密切。時常並轡走馬上朝廷，虢國夫人臉上沒有戴頭紗，而按規矩有身分的女人要戴面紗的，路人爲之掩目，楊國忠卻得意洋洋。

天寶十二年，玄宗到華清宮，韓國夫人、秦國夫人、虢國夫人準備前往華清宮，先到楊國忠家中會合。車馬僕從，充溢數坊（唐朝的坊，類似今天的里），錦繡珠玉，鮮華奪目。楊氏五家分爲五隊人馬，每隊各穿一種顏色的衣服以爲識別。當五家合爲一隊前進之時，燦爛有如百花煥發。一路上所遺留下來的釵鈿、琴瑟、珠翠，燦爛芳馥。而楊國忠以劍南旌節的身分，引導在前，不可一世。

楊國忠曾經對人說：『我們本是寒家，因爲后妃的關係才能到達這步田地，然而終究不能得到什麼好名聲，還不如盡量尋歡。』

楊國忠是怎樣的一個人？他怎麼樣能做到宰相？

閱讀心得

【第295篇】

楊國忠利用裙帶關係。

楊國忠本來不叫楊國忠，他的本名是楊釗，武則天寵愛的張易之正是楊釗的舅舅。

楊釗原本在鄉里之間名聲極壞，因爲他是一個賭徒，不學無術，只愛喝酒，爲宗黨所鄙視。後來，楊釗發憤從軍，在軍隊中依舊不得人望。益州長史張寬十分嫌惡楊釗的爲人，曾經狠狠揍了他一頓。

楊釗從軍期滿，可是家中實在太窮，連回去的旅費都籌不出來。幸虧有一個大富豪鮮于仲通資助他，才得以返家。

當楊釗回到四川老家的時候，恰好楊貴妃的父親楊玄琰病死，家中沒有人照料。於是這位遠房堂兄就幫忙處理上上下下的事，並且與楊貴妃的姊姊虢國夫人十分親密。

後來，楊貴妃三姊妹都出嫁了。秦國夫人嫁給柳家、韓國夫人嫁到崔家、虢國夫人嫁到裴家，楊貴妃則先嫁給了壽王，不久又成為唐明皇的新寵，都搬到長安去了。

此時，正是口蜜腹劍的李林甫大權在握的時候。劍南節度使章仇兼瓊與李林甫向來不合，覺得極不安全。他看到楊貴妃被唐明皇給捧上了天，有意走內線。

曾經資助過楊釗的鮮于仲通是章仇兼瓊的心腹，章仇兼瓊拜託鮮于仲通：『我雖爲主上所親厚，但無內援，或早或晚必爲李林甫所害。聞楊妃新得寵，人們還不敢依附，請你代爲到長安，與楊家相結，我則無憂矣。』鮮于仲通回答：『仲通蜀人，未嘗到過京師，恐怕壞了你的事，今我爲公求得一人。』

接著，鮮于仲通向章仇兼瓊說起了楊釗，談到楊釗與楊貴妃一家非比尋常的關係。章仇兼瓊一聽之下，大喜過望，立刻要求見楊釗。

楊釗雖然是個不學無術的混混，但是生得高頭大馬，儀觀豐偉，說起話來又滔滔不絕，言辭敏捷。章仇兼瓊十二萬分的滿意。

事不宜遲，章仇兼瓊立刻採買了四川各種精美珍玩，交給楊釗，讓他帶到京師之中做爲活動費用。

楊釗也認爲這是一個千載難逢的大好機會，帶了價值萬緡的珍物，日夜趕路，來到了長安城。

他到了長安之後，沒費多大勁兒先找到了虢國夫人。然後，利用虢國夫人的關係，把這些昂貴的禮物分贈給楊家大大小小的親戚。

楊氏親戚既然收了禮物，當然少不得在唐玄宗面前，極力誇讚章仇兼瓊的能幹，以及楊釗的善於賭博。唐玄宗正沉迷於享受，是個老糊塗了，於是楊釗被任命爲金吾衛兵曹參軍。章仇兼瓊的投資也得到報酬——內調爲戶部尚書。

此時，李林甫這個奸臣正紅透半邊天，唐玄宗樣樣事都對他深信不疑。

李林甫知道唐玄宗厭倦於四方巡幸，尤其在天寶三年得到楊貴妃之後，耽於享樂，對於民間的關懷，興趣大爲降低。他曾經對宦官高力士說：『朕欲高居無爲，把所有政事委託李林甫辦理，你看怎樣？』

『天子巡狩，乃自古以來的傳統也，且天下大柄，不可假借於人，萬一李林甫的威勢太大，恐怕不太妥當。』高力士不太贊成唐玄宗的主張。玄宗聽了高力士的話之後，臉色大變，青一陣白一陣。高力士一向善於察言觀色，立刻跪在地上叩頭道：『我是發了瘋疾才如此狂言，罪該萬死，罪該萬死！』

唐玄宗看高力士認了錯，也就不再追究，並且親自爲高力士斟酒，左右皆呼萬歲。高力士從此不敢再談天下大事，不過，由此可見，唐玄宗對李林甫的信任。

楊釗是個何等聰明的角色，自然不敢得罪李林甫這位皇帝身邊的紅人，至於李林甫，也樂得結納楊釗這個小人，免得讓楊貴妃不悅，乾脆推薦楊釗爲御史。

李林甫爲了要徹底鞏固地位，想要清除所有不依附他的人，把腦筋動到獄吏上面。京兆尹蕭炅（即我們前面曾經提到過的『伏獵侍郎』那個唸白字的傢伙）派了他的法曹吉溫做審判官。吉溫審判的辦法，是先把李林甫所謂的『犯人』捆綁到前廳，同時吉溫在後廳拷打死囚，一陣又一陣慘痛呼號的聲音，不斷從後廳傳到前廳，在前廳的犯人只覺毛骨悚然，彷彿到了十八層地獄之中，等到提堂時，早已嚇得魂不附體，立刻招供了。李林甫興大獄，楊釗也從旁協助，陷害了一百多家不依附李林甫的人家。楊釗表面上對李林甫言聽計從，骨子裏卻想排除李林甫。例如爲李林甫興大獄的吉溫，最後竟然被楊釗收買。

天寶九年，楊釗已經做到了兵部侍郎兼御史中丞，得到玄宗的信任。事實上，玄宗因爲太寵愛楊貴妃，當然對她的親戚另眼相看了。

這一年，楊釗以『釗』爲金刀二字，不妥，奏請改名。唐玄宗賜名爲國忠，楊國忠是不是對國家盡忠呢？

閱讀心得

【第296篇】

楊國忠當宰相。

唐明皇對楊貴妃是『三千寵愛在一身』，連帶著，楊貴妃的遠房堂兄楊釗也平步青雲，並由唐玄宗賜名爲楊國忠。

楊國忠是一個具有諂媚功夫的標準小人，他看到當時唐玄宗信任的李林甫勢如中天，千方百計予以巴結。口蜜腹劍的李林甫，也樂於結交這個與楊貴妃有關係的新貴。

楊國忠在得到唐玄宗信任之後，開始挖李林甫的脚跟，許多李林甫的心腹都暗中的改投楊國忠。

天寶十一年，楊國忠兼京兆尹之職。他命令一個因爲謀逆被關在牢中的犯人，供出李林甫暗中與逆黨通謀，連李林甫一手提拔的陳希烈也出來作證，表示確有此事。

結果這條毒計沒有扳倒李林甫。可是從此以後，唐玄宗漸漸疏遠李林甫，楊國忠貴震天下，與李林甫成爲仇敵。

過了半年左右，南詔數次進犯邊境，蜀人請求楊國忠前往鎮壓。李林甫也催他上路，可是楊國忠不想去，他很擔心李林甫又在耍陰謀。直到楊國忠出發之前，向唐玄宗辭行之時，還在流著眼淚哭泣道：『此行必爲李林甫所陷害。』楊貴妃在一旁，也幫著求情，希望能免去此行。

唐玄宗再三安慰楊國忠道：『卿暫且赴蜀，處置軍事，朕計算著日子，等待卿之歸來，回來以後還要當宰相。』

既然唐玄宗如此承諾，楊國忠雖滿心不願意，也只有勉勉強強上路了。

楊國忠一去，李林甫的病情剛好轉壞，心中十分煩悶。有一位巫師對李林甫說，只要見到皇上，可以有痊癒的機會。

唐玄宗聽說了，馬上就要前往李府。左右都勸唐玄宗不要去。最後，唐玄宗想了一個辦法；他要李林甫從病床中下來，走出庭中，然後唐玄宗站在華清宮的隆聖閣上，讓李林甫可以遠遠的仰望聖顏。

於是，唐玄宗來到了隆聖閣，拿出一條紅巾和李林甫打招呼。李林甫看到了皇帝，卻沒有力氣下跪，找了一個人代他向玄宗跪拜。

唐玄宗遠遠地看到李林甫，滿臉病容，身體軟弱，不再是當年笑咪咪地、到處寒暄的模樣。他知道李林甫是不行了。立刻派人到蜀，把楊國忠召了回來。

楊國忠回到長安，前往相府去拜望李林甫的病情。

李林甫流著眼淚，看著拜在床下的楊國忠道：『林甫死矣，公必爲相，以後事累公矣。』

楊國忠謝不敢當。走出相府，發現自己已是滿頭大汗，因爲楊國忠一向畏懼李林甫，所以嚇出一身冷汗。

據說李林甫的病有一半是被自己嚇出來的。因爲他作惡多端，心中有數；到了晚年，沉溺於聲妓之中，又害怕遭人刺殺，製作了許多重局複壁種種機關；而且，一個晚上搬好幾個地方，連家人都不曉得他到底住那個房間。

也許是疑神疑鬼，過分傷神，到了十一月，李林甫就歸天了。

唐玄宗晚年以爲天下承平，無復可憂，所以深居禁中，專以聲樂女色自娛，把所有政事都交與李林甫。李林甫爲迎合上意，杜絕諫官，妒賢嫉能，殘害忠良，在任達十九年之久，號稱太平宰相。雖然國家表面太平，其實內部已經腐敗了，可是唐玄宗一點也不覺悟。

李林甫死了，楊國忠繼任爲宰相，楊國忠比李林甫還要糟糕。爲人輕率、急躁、沒有威儀，又喜歡強詞奪理，對公卿以下，頤指氣使，完全沒有禮貌。可以說他的奸險，不在李林甫之下，而才幹，卻遠不及李林甫，而且比李林甫更爲心胸狹小，完全容不下有才能者。

楊國忠從御史做到了宰相，一身兼領四十餘使，大權在握，不可一世。

當時有人勸陝郡進士張象去拜見楊國忠，並且好言相勸：『見之，富貴立可圖。』

張象冷笑道：『君輩倚重楊右相如泰山一般，吾以爲他不過是冰山，若是太陽一出，浮在水面的冰山立刻融化。』於是隱居起來。

楊國忠倚仗著楊貴妃之勢，楊國忠與其姊妹韓國夫人、虢國夫人、秦國夫人的衣食住行，無不力求豪華，以爲誇耀。在前面〈麗人行〉之中，我們曾經詳細描述過。

奢靡的生活需要大量金錢供應，於是，貪污成爲維持奢靡生活必要手段。玄宗時代，上自宰相，下至地方官，貪污賄賂風氣大爲盛行。

楊國忠爲要徹底掌握大權，一人兼了四十餘使。兼使太多的結果是政務太繁，不克親理，同時又使得原來主管的官吏失去原有的職權，政治一天比一天腐敗。

天寶十三年，唐朝軍隊在南詔吃了一個大敗仗，前後死了二十幾萬人。然而，楊國忠竟然向唐玄宗報告『大捷』，而唐玄宗還得意洋洋的說：『朕今老矣，朝廷事付之宰相，邊境事付之諸將，我還有什麼好憂慮的呢？』

閱讀心得

【第297篇】

楊暄科舉舞弊。

在上一篇中我們說到，大奸臣李林甫去世以後，楊貴妃的遠房堂兄楊國忠繼任爲相，小人得志，雞犬升天。楊國忠爲了炫耀自己在朝中的地位，有一次宴請親友之時，突發奇想，製造噱頭。他在席上叫名，叫到名者進中庭，由他當場封官，他不問資格、經歷、才能，全憑一時高興。

譬如說，楊國忠看到一個短短小小的親朋，不假思索就說道：『道州參軍。』回過頭看見另一個，長著鬍子，靈機一動，指著鬍子道：『湖州文學。』在場的都忍不住哄堂大笑。楊國忠十分得意，覺得自己既幽默又風趣。

在用人輕率的風氣下，貴戚子弟乃能仗著勢力得位，楊國忠的寶貝兒子更是如此。

楊國忠的兒子楊暄，學業荒陋，去考明經科沒有及格，考試官禮部侍郎達奚詢知道楊國忠一向不講理，所以不敢不錄取。

達奚詢派了兒子達奚撫去向楊國忠報告，楊國忠認爲楊暄一定考上了，達奚撫是來報捷的，他捻著鬍子，含笑望著達奚撫，等著他開口報喜。不料，達奚撫竟然說：『奉大人之命，相君之子試不中，然亦未敢落第也。』

『哼，我的兒子還愁得不到富貴嗎？還不是被你們這群鼠輩所出賣

了。』楊國忠氣呼呼地跳上馬背而去。

達奚撫看楊國忠發這麼大的脾氣嚇壞了，趕緊跑回去稟報父親：『楊國忠挾恃富貴，無法論其曲直。』

達奚詢沒可奈何，只得把楊暄安排爲上第，而楊暄還不滿意哩。

楊國忠不但破壞了考試制度，同時又損害任官制度。他爲著收服人心，建議吏部以後選任官員，不論賢或不肖，以資深者優先。如此一來，機關中的老人當然高興，而且擁護楊國忠。事實上，有些資深者固然很有經驗有貢獻，卻也有許多人只是仗著資格老，尸位素餐，佔著位置不做事情，還要升他們的官，眞是太說不過去。

除了生活奢靡，敗壞社會風氣之外，楊國忠當上宰相之後，還有一件麻煩事——他駕馭不住安禄山。

安禄山是營州柳城（遼寧省遼陽縣附近）雜種胡人，本無姓氏，名爲軋犖山。他的母親阿史德氏是突厥的巫師，突厥話中的軋犖山是戰鬥的意思。

安禄山的父親很早就死了，母親改嫁給突厥安延偃，他用後父的姓，取名爲安禄山。

長大以後，安禄山仗著精通六種番語之便，在邊界作互市郎，也就是作翻譯的工作，以健壯驍勇而聞名。

當時，張守珪擔任幽州節度使，安禄山因爲盜羊而被捕。張守珪把安禄山剝光，準備活活用棒子打死，安禄山嚇得大叫道：『大夫不準備滅兩番嗎？爲何要把安祿山這種人才打死？』

張守珪瞄了一眼安祿山，肥肥白白，看起來壯得像一頭牛，於是把他給釋放了，任命爲偏將。

安祿山爲人狡猾，詭計多端，所以每次執行任務，都有辦法能活捉幾十個契丹人而還。張守珪發現這小子還滿不錯的，乾脆收了他當養子。不過，張守珪對安祿山肥胖的身材，總是看不順眼。安祿山怕挨罵，常常忍著飢餓，不敢飽食，餓得相當難受。

開元二十八年，安祿山當上了平盧兵馬使，因爲他嘴巴靈巧，善於巴結人，贏得大家的讚美。而且凡是京城裏有人到達平盧，安祿山不但熱忱相待，同時一定送上一份厚禮，親親熱熱把來使送走。

拿了人家的厚利，當然不能不替安祿山多多美言。一個人説安祿山賢能不稀奇，兩個人誇安祿山不稀奇，每一個到達平盧的，沒有不誇安祿山這才難得。久而久之，唐玄宗對安祿山留下深刻的印象。

不久，御史中丞張利貞被命爲河北採訪使，到達平盧之後，安祿山又使出渾身解數，曲意奉承，招待得無微不至，連跟張利貞同往的左右下人也統統有賞。公共關係做到這種地步，難怪張利貞見到唐玄宗，又把安祿山吹捧到了天上。

因此，在唐玄宗還沒有見到安祿山之前，已經對他極有好感。

天寶元年，安祿山被任命爲平盧節度使。在開元時期唐朝在邊境設立十個節度使，節度使乃節制調度也，也就是指揮的意思。最初節度使全部用的是漢人。雖然唐初有不少番將，卻從來沒有讓胡人獨當一面的，安祿山是第一個當節度使的番將。

初唐以來，唐朝將相無文武之別，文人出則爲將，入則爲相，所謂『出將入相』。例如武則天時代，就用姚崇、狄仁傑等名相專管兵權。玄宗時代張嘉貞、張說等因爲擔任節度使，有鎮守邊疆的功勞，入朝擔任宰相。

李林甫不希望有一天被派到邊疆，更不歡迎邊將到朝廷任相，搶他的位置。所以上奏玄宗：『文臣爲將，易於怯弱，胡人勇敢善戰，陛下若能重用，彼必能爲朝廷盡力。』玄宗聽了李林甫之言，大膽起用安祿山爲節度使。

閱讀心得

【第298篇】

安祿山跳胡旋舞。

在上一篇之中，我們說到，雜胡安祿山，性情巧黠。擔任平盧軍使期間，厚賂來往者，在銀彈攻勢之下，來使回到朝廷以後，無不向唐玄宗誇耀安祿山的賢能。因此唐玄宗接受李林甫的建議，任用安祿山爲平盧節度使。

天寶二年春天，安祿山入長安，拜見唐明皇，當然又少不了帶來大批的寶物前來孝敬。安祿山雖然過去遠在邊境，可是他的好客，他的出手大方早已名聞遐邇，因此大家都爭著前來觀看。

唐玄宗沒有見過安祿山之前，已經對他大有好感。相見之下，更是第一眼就喜歡了他，經常予以召見。

安祿山面奏唐玄宗：『去年營州鬧蝗蟲之災，臣為此焚香祈禱：「臣若是持心不正，事君不忠，願使蟲食臣心，若臣不負神祇，願使蟲散。」說也奇怪，臣禱告完畢，立刻有一群鳥自北方飛來，把蝗蟲吃得一乾二淨，這件事情，希望陛下交付史官記載下來。』

唐玄宗一聽，大為高興，對安祿山的忠貞，萬分感動，馬上答應了他的要求。

安祿山長得肥肥胖胖，尤其是肚子特別大，大到蓋過膝蓋，彎下腰來，

沒法子繫鞋帶。他常常拍著自己的肚子說有三百斤重。

從外表看來，安禄山是個略帶三分傻氣的胖子，性情開朗，易與人接近。他還會跳一種胡旋舞，跳起來旋轉如風，十分有趣，逗得人們哈哈大笑。唐玄宗最喜歡看安禄山跳舞助興，只要有安禄山在的場合，總是一團熱鬧。

安禄山這次入朝，贏得了皇帝的喜愛。從此之後，他經常在邊境與長安之間往返。當他人不在長安時，派了將領劉駱谷留在京師，朝廷中一切動靜，安禄山瞭若指掌。同時，劉駱谷也是他派在京師的公共關係主任，專門爲他打點上下，建立關係。

此外，安禄山是靠著送禮爬到高位的。他發現人都有貪便宜的心理，連皇帝也不例外。於是，大批大批的俘虜、雜畜、奇禽、異獸、珍珠、玩物，不斷的送到長安城中，可以說他一年到頭都在爲送禮而忙碌。

在紅包的誘惑下，安祿山除了擔任平盧節度使外，又在天寶三年擔任范陽節度使，十年，再兼河東節度使，勢力一天比一天大。

安祿山雖然目不識丁，卻有許多鬼才。在唐玄宗之前，應對敏捷，又專揀好聽的話奉承，還喜歡開玩笑，雜以詼諧，把唐玄宗伺候得笑口常開。

有一次，唐玄宗指著安祿山的大肚皮笑著問：『你這個胡腹之中裝了什麼？大成這個規模！』

安祿山用手拍拍比孕婦還大的肚皮，一本正經回答：『裏面什麼都沒有，只有對皇帝的一顆忠心。』這個馬屁拍得眞好，唐玄宗一開心，拉著安祿山去見太子，左右的人見到太子，自然而然的下拜。安祿山挺著個大肚皮，一動也不動，大家都在想，安祿山這下要慘了。

安祿山拱拱手道：『臣乃胡人，不習朝儀，不知太子是什麼官？』

『太子就是國家的儲君，朕千秋萬世歸天以後，他就代替朕爲天子。』唐玄宗和婉地解釋著。

『嗯，原來是這樣。』安祿山說：『臣愚蠢，向來心中只知陛下一人，不知乃更有儲君。』

這番話更叫唐玄宗心花怒放。按古代皇帝爲至高無上的權威，最怕有人奪他的皇位。所以父子之間不甚和睦，父親殺掉兒子，或是兒子幹掉父親是常有的事。總之，宮廷之中父子之情，絕對比不上民間父子。

安禄山豈會眞不知道什麼是太子？不過是故意藉機會表示自己是忠心耿耿。然後，安禄山萬分不得已的對太子拜了一拜。唐玄宗看在眼裏，頻頻點頭。

在皇宮之中，臣子一舉一動，必然是合乎中節，十分嚴肅。久而久之，做皇帝的對這種嚴肅的空氣感到煩悶。安禄山比較隨便，會講笑話，把唐玄宗逗得樂不可支，愈發覺得這個胖子是可人兒。

爲著歡迎安禄山遠道而來，唐玄宗在勤政樓擺下盛宴。百官都坐在樓下，只有安禄山單獨坐在御座東邊，表示他特別受到恩寵。

唐玄宗不但自己寵愛安禄山，還把安禄山介紹給楊貴妃家中的兄弟姊妹，楊銛、楊錡以及韓國夫人、秦國夫人、虢國夫人等。並且與他們互認兄妹，使得安禄山得以出入宮中。後來，楊貴妃乾脆收了他做義子。

唐明皇與楊貴妃並坐在一塊，安禄山見了，先拜貴妃。唐玄宗看著奇怪，忙問爲什麼。

安禄山回答：『胡人先母後父。』

唐明皇不料有此一答，忍不住哈哈大笑。原來，安禄山是胡人，開化未久，凡是比較原始的社會，都是母系社會，母親在家族之中具有崇高之地位。然而中原漢人早已是父系社會，唐玄宗早已習慣男尊女卑的習慣，安禄山忽然來此一招，使得他爲之開懷。

總而言之，安禄山做人周到，擅長逢迎，贏得了唐玄宗的信任。

閱讀心得

【第299篇】

安祿山過生日。

安禄山會送禮，又懂得拍馬屁，很得唐玄宗的寵信。天寶十年，唐玄宗下令爲安禄山在京師建造府第，並特別指示，不限財力，盡量求其壯麗。房子造好了，房內的裝潢也是第一流的，連廚房裏的用具，都是金銀打造，有金飯缶、銀淘盆，其他瀝米的、取食的，也無不是金光閃閃，連皇宮之中的用品也沒有如此考究。

唐明皇不放心，還特別派了宮中的太監去監工，再三告誡：『胡眼大，勿使笑我。』意思是說，胡人的眼光大，普普通通的東西看不上眼，如果不能拿出最好的東西給他，會讓他笑話。

房子造好了，裝潢也妥當了，安祿山搬入新宅，請宰相入府吃酒。當日，唐玄宗正在樓下擊毬，立刻停下來，命宰相赴宴，凡是好吃的、好玩的，唐玄宗都馬上派人送去給安祿山。

過了幾天，剛好安祿山生日，唐玄宗楊貴妃頒賜了大量衣服寶器。三天之後，楊貴妃把安祿山召入內宮，用錦繡把義子安祿山包裹成一個襁褓。然後命宮人把這個特大號的嬰兒擡在轎子中四處巡遊，宮女們吃吃的笑著，大家鬧成一團。

唐明皇聽到後宮一片嬉笑聲，趕去一看，左右回答：『貴妃在三日洗

兒。』三日洗兒，見唐代風俗，小孩生下三天之後，放在澡盆之中，親朋好友把錢散在盆中，稱之爲添盆。

唐玄宗聽了，不但不認爲是胡鬧，反而喜孜孜趕去，賜給安禄山這個大寶貝洗兒金銀錢。安禄山也裝成個娃娃，逗著大夥笑得東倒西歪，揉著肚子喊疼。

從此之後，安禄山可以公然出入宮掖。連楊貴妃都與安禄山十分要好。某些史家認爲史書上記載的不可靠，大美人楊貴妃怎麼會喜歡大胖子安禄山呢？這未免是書生之見，有人喜歡瘦，也有人對胖有興趣，何況唐朝人崇尚肥胖，楊貴妃也是豐滿型的美女，所以她對安禄山有好感，沒有什麼奇怪。

安禄山善知人意，善揣人情，到處都吃得開。只有一個人，安禄山十分畏懼，那就是口蜜腹劍的李林甫。

安禄山本來對李林甫也是一派傲慢。李林甫不動聲色，裝著有事把王鉷大夫召來。王鉷見到李林甫，誠惶誠恐，似乎十分害怕的樣子，王鉷是朝廷的紅人，有權有勢，安禄山早有所聞，可是王鉷對李林甫竟然像老鼠遇到貓一樣，這讓安禄山不覺對李林甫另眼相看。

接著，安禄山發現李林甫確實是高人一等的老狐狸，不論安禄山葫蘆裏賣的什麼藥，李林甫總能一語道破，猜出安禄山眞正的意思。安禄山貌似忠厚，裝瘋賣傻，連皇上都被瞞了過去，只有李林甫讓安禄山又害怕又佩服。

此後，安禄山變得很怕見李林甫，只要與李林甫談一次話，即使是隆冬之中，也嚇得衣服都濕透了。李林甫看穿安禄山的恐懼，堆著滿臉笑容，把他帶入大廳，把自己的袍子解下來，披在安禄山身上。安禄山十分感激，呼李林甫爲十郎（李林甫排行爲第十）。

當安禄山回到范陽節度使任上，每次手下劉駱谷從長安來，安禄山一定要問李林甫說他什麼。萬一李林甫有美言好話，安禄山就高興個什麼似的。如果李林甫只說：『告訴安大夫，要加強檢點一些。』安禄山就反手抵在床上，搗著胸口說：『完了！完了！』

安禄山一人身兼平盧、范陽、河東三節度使，日益驕恣；他是騎馬帶兵打仗的，見唐玄宗年歲已老，又見中原武備墮弛，頗有看輕中國之意。

在開元天寶年間，雖然對外時有戰爭，但國内是太平無事，一般老百姓因爲太平日子過久了，不知戰事。猛將精兵都安置在西北邊境，國内沒有什麼武備。同時，當時人心厭戰，從李白、杜甫的詩中，可見厭戰心理十分嚴重。

問題是，戰爭雖然不是一件好事。但是，你不要打，別人要打，只是把頭埋在沙堆之中逃避現實是很危險的，當時的唐朝正是這種情形。

此外，在天寶末年還有兩個問題十分嚴重，一是『内重外輕』，一是『重文輕武』。

内重外輕指的是玄宗朝的官吏希望留在京師，不願意調到州縣，更不願意調到邊疆，使得地方及邊境異常空虛。

重文輕武的觀念在睿宗時代已存在，到了唐玄宗朝，更成爲風氣。大家都以能作詩作賦爲高，子弟若是擔任武官，父兄都以爲不齒，在這種情況之下，武備日漸廢弛。

同時，孔目官嚴莊，掌書記高尚等人又在慫恿安禄山，說他有皇帝相，安禄山遂有併吞天下的野心。他在范陽北築雄武城，聚兵積穀，養了同羅、奚、契丹降人八千爲壯士，又蓄戰馬數萬匹，更遣商人至諸道，販賣珍貨，每歲輸入數百萬，他有錢、有人、有戰鬥力，威勢一天比一天強。

由於李林甫的狡猾更在安禄山之上，所以安禄山雖然有野心，仍然謹守本分，但是天寶十一年口蜜腹劍的李林甫去世了，楊國忠繼任爲相，情況又如何？

閱讀心得

【第300篇】唐玄宗放虎歸山。

胡將安祿山眼見唐玄宗年紀已老了，中央武備廢弛，對朝廷有輕視之心，有意起兵造反。可是宰相李林甫的狡猾超過安祿山，安祿山最怕李林甫，所以不敢蠢動。李林甫去世之後，楊國忠繼任爲相。楊國忠的精幹比不上李林甫，安祿山打心眼裡瞧不起楊國忠。楊國忠素來驕傲，見安祿山看他不起，氣得牙癢癢的。

由於兩人有隙，楊國忠就常常在唐玄宗面前講安祿山的壞話，說他會造反。唐玄宗對安禄山這個胖子非常寵愛，沒當一回事。楊國忠爲了要對付安禄山，極力拉攏突厥將領哥舒翰，因爲哥舒翰與安禄山是仇人。這些消息都由安禄山派在京師的人員把情報傳了過去，安禄山甚爲不開心。

雖然唐玄宗不理會楊國忠的挑撥，可是楊國忠不死心，依然說個不停，並且再三斷言：『陛下若是不信，可以召他來京師，他一定不敢來。』

『好，即傳安禄山到長安。』於是，唐玄宗下令召安禄山入朝。

結果楊國忠猜錯了，安禄山一接到詔令，立刻在天寶十三年趕到了長安，前往華清宮晉見皇帝。

安禄山哭著對玄宗道：『臣本胡人，承蒙陛下寵愛拔擢，才有今天的

地位，卻也因此被楊國忠所嫉恨，臣死無日矣。』說著，眼淚不斷的往下掉。

唐玄宗看安禄山哭得如此傷心，大爲不忍，覺得自己竟然懷疑這麼一個忠心耿耿的臣子，實在太不應該。特別賞賜巨萬，表示愛憐之意。狡猾的安禄山見此光景，立刻提出要求——他以討伐奚、契丹爲名，請求朝廷准許他不拘常格，提拔將士，寫好告身（告身是封官之冊書），類似今天的任命狀，讓他帶回去。唐玄宗正因爲『對不起』安禄山而難過，馬上答應他的要求，如此一來，安禄山得以授將軍五百餘人，中郎將二千餘人。

在京師裏住了三個月，安禄山要回范陽節度使任上了。臨行之前，唐玄宗特別解下御衣，披在他身上，安禄山又驚又喜的收下了。拜別了玄宗，安禄山立刻出關，他很擔心楊國忠又在玄宗面前講了什麼而把他留下。他晝夜兼行，日行百里，經過郡縣，也不下船。人人都看得出此次放虎歸山，安禄山必反，卻也沒人敢報告給唐玄宗。

到了第二年，天寶十四年二月，安禄山的副將何千年入奏，要求把三十二名漢人將領改用番將代替。大臣韋見素上奏玄宗：『禄山已有造反跡象，所請不可許。』

唐玄宗經過上次事件，對安禄山更加信任，現在聽到有人又在詆毀安禄山，十分生氣，沒有理會韋見素。

但是因爲大家都說安禄山不可靠，唐玄宗決定再做一個小小的試探，他派遣宦官輔謬琳攜帶大批珍果去慰勞安禄山，順便探探虛實。聰明的安禄山當然知道來者不善，好好的對輔謬琳下了一番工夫。輔謬琳接受了安禄山的厚賂，回來之後，拚命爲他說話：『禄山竭忠奉國，無有二心。』

唐玄宗聽著相當滿意，笑嘻嘻的對楊國忠道：『朕對安禄山推心置腹，他必無異志，東北契丹與奚都要靠他鎮遏。朕可以擔保安禄山沒有問題，這件事就不必再提了。』

於是安禄山有意謀反這件事，也就暫時停止討論。

自從安禄山回到范陽，態度作了一百八十度的轉變，朝廷每次遣使前來，安禄山總是推託生病，不肯出迎。有一位使者裴士淹到范陽，足足等了二十多天，才見到安禄山。而且安禄山一派傲慢，沒有一點兒人臣之禮。

楊國忠接到消息，大爲興奮，立刻派人包圍安祿山在京師的宅第。他處心積慮想要激使安祿山早日造反，一方面是拔除眼中釘，一方面希望在玄宗面前露上一手，表示自己有先見之明。

緊接著，楊國忠逮捕了安祿山留在京師的人馬李超等，送入御史臺，沒有經過審判暗中就給殺了。安祿山兒子安慶宗娶了榮儀郡主，以太僕卿的身分在京師當差，馬上密報安祿山。

安祿山一聽大爲恐慌，他本來念在唐玄宗待己不薄，準備等待玄宗歸天以後再造反，如今情勢所迫，逼得他不得不早日動手了。

天寶十四年六月裏，唐玄宗爲兒子完婚，發出詔書邀請安祿山前來觀禮，安祿山又稱病沒有前來。

到了七月，安禄山忽然上表獻馬三千匹，每匹馬派兩名馬僮相隨，遣番將二十二人帶隊。

河南尹達奚詢認爲其中有蹊蹺，上奏請示：『禄山進獻馬匹通常應該等到冬天，現在才七月，而且何必他自帶馬僮，本軍自有馬僮可用。』唐玄宗看了奏章，也覺得安禄山這一招有些奇怪，心中漸漸對他也起了一些疑心。

剛好，上次玄宗派宦官輔謬琳去偵查安禄山接受賄賂之事被告發，由此可證明輔謬琳所說安禄山忠心耿耿是謊言。於是，唐玄宗開始有點兒坐立不安。

閱讀心得

【第301篇】安史之亂。

天寶十四年，安祿山突然沒來由的要獻馬，還要自備馬僮，一向信任安祿山的唐玄宗開始起了疑心。同時，安祿山賄賂宦官輔謬琳之事又東窗事發，使得唐玄宗有些兒不安。

於是，唐玄宗再派中使馮神威帶著詔書去見安祿山，並且告訴安祿山：

『朕新爲卿造一溫泉池，在十月間，朕於華清宮待卿。』

安祿山挺胸凸肚坐在床上欠身微起，用不耐煩的口氣道：

『馬不獻也

可以，我十月裏必然會去京師。』然後，命令左右安排馮神威住在館舍中，不予理會。又過了幾天，派人告訴馮神威：『你可以走了。』

記得以前唐朝有使者前來，安祿山巴結逢迎到了極點，臨走之時，還要塞上許多『小意思』賄賂一下，希望使者回去之後多多美言。而此番馮神威前來，看到安祿山冰冷的面孔，住在館舍裏，一顆心七上八下，日夜不安。

如今，聽說可以回去了，馮神威飛也似的趕回京師。見到了唐玄宗上氣不接下氣道：『臣幾乎不得再見皇上了。』兩行熱淚滾滾而下，他早已嚇得魂不附體了。

本來，安祿山早有謀反的陰謀，而且計畫了十年之久。因爲唐玄宗待

他不薄，準備等唐玄宗歸天以後再下手。然而楊國忠與他不合，一天到晚在玄宗面前打小報告，說安祿山要造反，希望激起安祿山憤怒，及早起兵。現在，很明顯的，唐玄宗已疑雲大起，逼得安祿山不得不及早下手。

天寶十四年八月之後，安祿山開始屢次的犒賞三軍，經常打牙祭，他的目的是收買人心。不久，安祿山僞造了一份皇帝的敕書，對將領們頒佈：『我接到皇上的密旨，令祿山帶兵入朝，討伐楊國忠。』大家都愕然相顧，沒有人相信安祿山的話，卻也沒有人敢有異言。

在十一月間，安祿山以討伐楊國忠爲名，率十五萬大軍，在范陽起兵，引兵向南。他步騎精銳，煙塵千里，一路鼓譟而來，這正是白居易〈長恨歌〉中的『漁陽鼙鼓動地來』。漁陽，在今天河北薊縣一帶，鼙鼓即爲戰鼓之意。

唐朝自開國之後，天下太平已久，老百姓累代不知兵事，不識兵革，突然聽說范陽兵起，遠近震駭。安禄山所經過的州縣，望風瓦解，守令或者開門出迎，或者棄城竄匿，或者爲敵人所俘虜，很少敢與之相抗者。

唐玄宗以爲海內無事，一般人民也認爲可以高枕無憂，安享太平，不料就出了大亂子。任何時代，如果毫無憂患意識，都是一件危險的事。

言歸正傳，話說安禄山造反的消息傳到了長安，楊國忠可樂壞了。他洋洋得意稟報唐玄宗道：『今反者獨禄山一人，將士皆不欲也，不過十日，必傳他的首級到京師。』唐玄宗聽了很高興，大臣們都相顧失色。

楊國忠光會講大話，安禄山的軍隊一口氣打下了洛陽，因爲潼關守有重兵，一時難破。遂在天寶十五年，在洛陽稱帝，國號爲燕，改元聖武，自己當起皇帝來了。

六月間，安禄山攻下了潼關，唐玄宗倉皇之中逃難前往四川。在半途之中，軍士們又飢餓又憤怒，發生了馬嵬驛兵變（關於馬嵬驛兵變的故事將在後面說明）。

馬嵬驛事變之後，唐玄宗繼續西行，地方父老遮道不肯讓行，都說：『宮闕爲陛下家居，陵寢是陛下墳墓，今捨此欲何往？』堅持不肯放行。唐玄宗沒有辦法，拉著馬轡許久許久，決定把太子李亨留在馬後，宣慰父老。

父老又說：『至尊（天子）既不肯留下，我等願意率領子弟，從太子殿下東征破賊，取回長安。若是殿下與皇上皆入蜀，還有誰肯爲中原百姓之主？』

於是，唐玄宗前往蜀逃難，太子李亨帶領一部分人馬，到了靈武，在靈武即位，是爲唐肅宗，改元至德元年，一方面遣使上表，尊唐玄宗爲太上皇。

安禄山自從開入了長安城，展開一場大規模的屠殺與劫掠。他自起兵之後，也許是身軀肥胖，血壓太高，眼睛漸漸看不見，身上又長瘡，於洛陽稱帝之後，便留在洛陽。當年他在長安，看到唐玄宗所享受的樂工、舞女、梨園子弟、舞馬、大象，一股腦兒自長安搬到洛陽供他享用。

安禄山本來脾氣就壞，因爲身體不舒服，愈發暴躁，少不如意，動加箠撻，其中以閹臣李豬兒被打得最兇。李豬兒原本是安祿山最寵愛的人，從十歲開始伺候安祿山。安祿山到了晚年，肚皮愈來愈大，每次穿衣帶，都要三四個人幫忙把肚皮擡起，然後，取裙褲繫腰帶都是李豬兒的事。

安祿山有意把長子安慶緒廢去，安慶緒害怕之下與李豬兒合謀將安祿山一刀斃命，正中安祿山的大腹。因爲安慶緒昏庸無能，手下史思明不服，把安慶緒殺了，乾元二年在范陽自稱爲大燕皇帝，改元順天，最後史思明也被兒子史朝義所殺。唐將郭子儀、李光弼向回紇借兵，將亂事平定。安（安祿山）史（史思明）之亂共八年結束，唐朝元氣大傷。

閱讀心得

【第302篇】

哥舒翰守潼關。

在上篇之中，我們大概介紹了安史之亂的來龍去脈。

事實上，在安禄山起兵之初，雖然他佔領了洛陽，不可一世，卻也受到唐朝大將郭子儀、李光弼等的反攻。通往幽州的後路被切斷了，前方又受阻於潼關。安禄山曾一度想放棄洛陽，先回范陽老家再說。

當時守潼關的大將是哥舒翰，哥舒翰是個胡將，很會打仗，是安禄山的死對頭。楊國忠爲了氣安禄山，在天寶十二年，封他爲涼國公，加河西節度使。

到了天寶十三年，拜太子太保，又兼御史大夫。可是哥舒翰貪杯好酒，又恣情聲色，有一天在浴室之內中風，成爲半身不遂，以病廢河西休養。安史亂起，唐玄宗召哥舒翰爲兵馬副元帥，討伐安禄山。哥舒翰半身不遂怎能打仗？再三固辭，可是唐玄宗不許，只好扶病前往。

哥舒翰到了潼關，決定先採取守勢，他分析道：『禄山久習用兵，必然不會無備，賊兵遠來，希望速戰。王師自在其地，利在堅守，不可輕易出關。』他的守關政策使得安禄山進退維谷，十分爲難。

可是，正在此千鈞一髮之際，有人對楊國忠說：『朝廷重兵，均在哥舒翰之手，一旦哥舒翰回師，對公豈不危險？』

楊國忠一向把自己的官、祿看成天地間第一等大事。一聽之下，馬上上報玄宗，命哥舒翰立刻出潼關，收復陝、洛。哥舒翰具奏，說明祿山兵盛，不可輕圖。楊國忠就怪哥舒翰坐失良機，不安好心。

哥舒翰如果再不出兵，等於承認自己與安祿山一般，懷有企圖。何況唐玄宗不斷派中使宦官前來，命令立刻引師出關。

於是哥舒翰出關，與安祿山軍隊大戰。一交手之下，兵敗如山倒，有的棄甲逃竄，更有許多相擠墜河而死。最後，哥舒翰向安祿山投降，被解送到洛陽。

安祿山見到哥舒翰，十分得意，問道：『你以前常輕視我，今天又如何呢？』哥舒翰立刻趴在地上討饒：『臣肉眼不識聖人。』安祿山大喜，不過，最後還是把哥舒翰殺了。

潼關失守，於是河東、華陰的防禦使都先後棄郡遠逃。消息傳到長安，唐玄宗憂懼萬分，召楊國忠共謀對策。楊國忠召集百官於朝堂，流著眼淚問大家有何良策。情勢到這種地步還有何話可說，而且，若不是楊國忠執意要哥舒翰開關，也許情況有所不同。所以，百官們都垂著頭，不敢開口，就是被點名問到了，也只有唯唯以對。

楊國忠幽幽的說：『人言安祿山必反已十年，皇上不信，今天的事，非宰相我之過也。』

眼看安祿山就要追殺到京師來了，楊國忠建議玄宗逃到蜀（四川）去。

因爲四川是楊國忠的第二故鄉，他又身兼劍南節度使，所以主張玄宗幸蜀。

此時，長安城內的老百姓，自相驚擾，東奔西走，不知所措。街市一片蕭條，生意人把招牌也取下來了。楊國忠要韓國夫人、虢國夫人去勸玄宗，再不快逃，安祿山即將入城了。

可是，大敵當前，做皇帝的首先開溜，似乎說不過去，於是玄宗下詔僞稱御駕親征安祿山。話是說得漂亮，卻沒有一個人相信。

當天晚上，唐玄宗命令龍武大將軍陳玄禮整編六軍，厚賜金帛，挑選上好的馬匹九百餘匹，悄悄準備逃難，外人都不知道。

到了黎明之時，唐玄宗獨自與楊貴妃姊妹、皇子、妃嬪、公主、皇孫、楊國忠、韋見素、陳玄禮及少數親近的宦官、宮人，離開了延秋門。在此之外的妃、王、王孫都棄之不顧了。

一行人走過左藏庫，楊國忠請求焚毀，以免落入賊兵之手。唐玄宗愀然道：『賊來之後，必然賦斂百姓，不如把這些留給他們，免得百姓更加遭殃。』可見得，唐玄宗對於自己晚年昏庸，使百姓流離，心中不無後悔。

到了第二天早上，百官來朝，到了宮門之外，還聽到擊更報時的漏聲，門口的守衛也還是站得筆挺的，一如往常。可是，宮門一開之後，就看到皇宮中的宮人著急亂走，內外擾攘，不曉得皇帝跑到那兒去了。等到發現玄宗出奔之後，所有王公士民，四出逃竄，好像鍋中的滾油炸開一般。

一些個小流氓，乘機出入宮禁與王公第舍，盜取珠寶。還有人騎著驢子上殿，焚燒左藏大盈庫。昨天還是警衛森嚴、不可一世的天子殿閣，今日已成爲人人可踐踏的馬場。

新任的京兆尹崔光遠見他們鬧得太不像話，一方面派人救火，一方面動手捉人，一口氣殺了十幾個頑劣刁民，情況才稍稍穩定下來。同時，崔光遠派了他的兒子到洛陽去見安祿山，請他早日到長安接收。

於是，安祿山得以不費一兵一卒，輕易地佔領了長安，大肆收捕百官、宦官、宮女送到洛陽。

閱讀心得

【第303篇】

馬嵬驛的悲劇。

安禄山攻下洛陽以後，打不進潼關，進退兩難。可是楊國忠擔心潼關守將哥舒翰勢力太大，硬逼著哥舒翰放棄以逸待勞的守勢，開關迎戰。結果，哥舒翰兵敗被俘。唐玄宗倉皇之間，從長安宮中逃亡而出，僅率領宰相韋見素、楊國忠與楊貴妃一家姊妹及太子等少數人，由禁衛軍保護前進。

唐玄宗等一行人，在早上八點鐘左右，來到了咸陽望賢宮。從黎明出奔走到現在，已經兩腿發麻，飢腸轆轆。原指望到了咸陽，可以飽食一頓歇歇腳，不料咸陽附近各縣縣令都逃走了。一路上半點兒吃的東西都沒有，唐玄宗派中使召地方官，也沒有任何官吏前來。

一直到了中午，玄宗還是餓著肚子，楊國忠在街上買來一些胡餅（雜糧做的餅）呈獻。老百姓聽說皇帝駕到，也爭著獻食物。不過，兵荒馬亂之際，沒有什麼吃的，不過是糲飯，中間拌著幾顆麥豆。

這些養在深宮中的皇子、皇孫，幾時吃過這麼粗劣的食物？但是逃難在外，有東西吃就不錯了。用手抓了捧著就食，一會兒就搶得乾乾淨淨，卻還沒有填飽肚子。

唐玄宗看到這光景，難過得眼淚都掉下來了，頻頻用袖子拭淚。此時，有一個叫郭從謹的老人站了出來，對玄宗說：『祿山包藏禍心，固非一日，

馬嵬驛

也有人前來報告陛下，陛下往往誅之，使得禄山有機會逞其奸逆。臣記得以前宋璟爲相時，數度進直言，天下賴以太平。如今在朝之臣只知阿諛諂媚，以求容身。我這個草野之人，早知道會有這麼一天的，可是九重（指天子所居之地）嚴邃，區區之心，無路上達。若不是皇帝今天到達這兒，臣怎可能見陛下之面，說這些話呢？』

唐玄宗被這個老人教訓了一頓，心裏頭很慚愧。低下頭，小聲地道：

『此朕之不明，後悔也來不及了。』

稍做停留之後，唐玄宗等又急著趕路，半夜之時，才趕到金城。金城地方不但縣令逃了，縣民也跑光了。還好，飲食器皿還在，士兵們自己動手，胡亂做了些東西果腹，當天晚上，大夥兒就在金城過夜。驛中找不著蠟燭，只有黑漆漆的躺在一塊了，此時，也顧不得什麼貴賤之別了。

第二天，玄宗等一行來到了馬嵬驛（今陝西省興平縣馬嵬鎮），六軍將士，又飢餓又疲倦，而且滿肚子的怒火無處消。其中有一個叫陳玄禮的龍武大將軍揚言，此禍由楊國忠而起，非殺楊國忠不可。

伺候太子的宦官李輔國剛把這個消息稟報了太子，正好有二十多個吐蕃使者攔住楊國忠的馬，吵著要飯吃。楊國忠滿臉不耐煩，還沒有開口，軍士就呼喊：『國忠與胡虜謀反。』鼓譟之下，有人拿起箭就對楊國忠射來，射中馬鞍。

楊國忠嚇得掉轉馬頭回走，軍士們那這麼容易放過他，一擁而上。不但把他用亂箭射死，而且還把他的肢體一塊一塊的切割下來。但是，這還不足以平息衆人的怒火，他們用槍把楊國忠腦袋挑了起來，掛在馬嵬驛的門外。

殺了楊國忠之後，軍士們順便把楊國忠那不學無術的寶貝兒子楊暄以及秦國夫人、韓國夫人都給殺了。

唐玄宗正在驛站內休息，不知道爲什麼一片喧嘩之聲，拄著拐杖出來一看，正好看到楊國忠的一顆腦袋迎風招展，大吃一驚。他慰勞軍士，要求隊伍回營。可是軍士們不理，仍然手拿著武器，眼露著兇光。唐玄宗很生氣，要宦官高力士去問他們是什麼意思。

帶頭殺楊國忠的陳玄禮應聲道：『國忠謀反，貴妃不宜供奉，願陛下割捨恩愛，正之於法。』

原來軍士們要楊貴妃死，唐玄宗做夢也料不到此。他拄著拐杖，不發一言，覺得身子有點兒支持不住，喃喃地說：『這件事，朕自會處置。』京兆司韋諤上前道：『今衆怒難犯，安危在頃刻之間，願陛下速決。』說著，叩頭流血。

唐玄宗思索了半天才說：『貴妃常居深宮，安知國忠謀反。』可是軍士們認爲，唐玄宗如果不是迷戀楊貴妃，不會荒廢國事；楊國忠如果不是靠著楊貴妃的裙帶關係，又怎麼能平步青雲。所以，非要楊貴妃一死以謝國人不可。

高力士說：『貴妃誠無罪，然而將士已殺國忠，焉能自安，願陛下審思之。』勢已至此，玄宗只有命高力士引貴妃入佛堂縊殺之，然後停屍於驛庭，軍士們才息怒。唐朝大詩人白居易在〈長恨歌〉中形容這一段『九重城闕煙塵生，千乘萬騎西南行；翠華搖搖行復止，西出都門百餘里，六軍不發無奈何，宛轉蛾眉馬前死；花鈿委地無人收，翠翹金雀玉搔頭，君王掩面救不得，回看血淚相和流。』意思是說：『安祿山造反，把九重高的城闕，也擾亂得煙塵四起。唐玄宗帶著成千上萬的馬向西南逃難。駕前御用的翠華旗在路上飄搖一陣後，突然停止，在離開京城百餘里附近的馬嵬坡六軍不肯前進了，非要賜死楊貴妃以謝天下。楊貴妃只有哭哭啼啼，緊鎖蛾眉，在馬前被勒死。她頭上所插的花鈿，拋棄了一地，沒有人爲她收拾，翠翹金雀等名貴的首飾也撒了一地。唐玄宗掩著衣袖，不忍見貴妃慘死，又無法相救，待再回首，眼中血淚交流。』

白居易的〈長恨歌〉纏綿悱惻，千古傳誦。唐玄宗若不是晚年過於荒誕，政治腐敗，又怎會有馬嵬驛的悲劇？

閱讀心得

【第304篇】

張巡死守國土。

文天祥的〈正氣歌〉是不朽的一篇文章，正氣歌中有兩句『為張睢陽齒，為顏常山舌』，與安史之亂有關……

張巡，鄧州南陽人（河南鄭州）。博覽羣書，通曉軍事，重義氣，尚氣節，朋友有危窘之時前來求救，張巡必然傾財撫恤之。

在唐玄宗開元末年，張巡中了進士，以通事舍人出為清河令，政績很好。當時楊國忠當權，炙手可熱，有人勸張巡走楊國忠的門路，他不肯，於是被調爲眞源令。

眞源在今天的河南鹿邑縣，不是個好地方，尤其是一個叫華南金的惡勢力最大。鄰里的人都受過華南金的欺負，因此眞源地方流行一首歌謠：『南金口，明府手。』

張巡到任之後，第一件事就把華南金這個惡棍給殺了。眞源地方的土豪劣紳看到新來縣令這麼厲害，也就不敢放肆，於是風氣爲之一變，歹徒改行遷善。

天寶十五年正月，安祿山起兵造反，譙郡太守楊萬石投降了安祿山，也要逼著屬下眞源令張巡爲長史，向安祿山投降。

張巡天生是忠肝義膽，他不肯向賊人稱臣，率領了縣民到黃帝廟中痛

哭流涕，宣誓死守國土，起兵討賊。

此時，眞源隔壁的雍丘縣，已被楊萬石獻給安祿山，雍丘縣縣令令狐潮也一塊投降了。張巡帶著數千民兵氣勢洶洶前往收復失地。

張巡對大家說：『賊兵精銳，十分輕視我們，現在我等出其不意，一舉擊之，賊必驚潰。』果然，張巡派一千人分數隊攻城，直衝敵陣，賊人措手不及，糊裏糊塗被張巡攻退。

第二天，賊人不甘心，一大早就來攻城，把雍丘團團圍住，而且架設了梯子往城門上爬。張巡命令軍士們把一捆一捆的稻草澆了油，用火點燃，從城上往下頭扔，賊兵上不去，只有暫緩進攻。

如此一共過了兩個多月，雙方激戰三百多回，賊兵還是沒有把城攻下。

在這六十多天當中，軍士們隨時隨地都戴著笨重的鎧甲，負傷上陣。安禄山的軍隊敗逃，張巡乘勝追擊，虜獲胡兵兩千多人，軍聲大振。

到了第二年，雍丘原來的縣令令狐潮又帶領賊兵前來攻城。令狐潮過去與張巡有舊誼，他策馬於護城河畔站在城下，與城門上的張巡和平常一般的話舊。

令狐潮仰著頭對張巡說：『天下事大勢已去，足下堅守危城，到底是爲什麼？還不如跟著我去追求富貴。』

張巡嗤之以鼻道：『足下平生以忠義自許，你今天的作爲，忠義何在？』令狐潮想起以前兩人互誓爲國効忠的情景，自覺丟人，勒轉馬頭，飛奔回營。

既然勸不動張巡，令狐潮只有再用兵，在雍丘城外又攻了四十多天，依然攻不進去。

這時，唐玄宗出奔西蜀的消息傳來，令狐潮又寫了一封信給張巡，勸他早日投降。張巡手下有六員大將沈不住氣了，想想連皇帝都逃了，還打什麼仗呢？向張巡建議道：『兵勢不敵，而且皇上存亡不可知，不如降賊。』

張巡表面上答應了，第二天在堂上設立一個天子的畫像，率領將士們對著畫像朝謁，許多人想到國仇家恨，忍不住哭了起來。張巡把主張投降的六名將領叫了過來，責以大義，痛罵他等之不忠，然後當場立斬，此後軍中再也沒有主降的論調了。

士氣儘管旺盛，可是城裏面沒有箭了。張巡效法諸葛亮借箭的方法，紮了一千多個草人，披上黑衣服，在半夜徐徐用繩子放下。令狐潮的兵發現了，立刻挽弓射箭，等到發現是草人，已經白白送了張巡數十萬枝箭，後悔不已。

這天夜裏，快天明了，張巡又垂了一些身著黑衣的人下來。令狐潮的手下都在彼此笑語：『我們可不再上當啦！』豈料這一回放下的不是稻草人，是眞人。賊人沒有料到假人會走路，還會襲營哩。這五百名敢死隊衝入令狐潮陣中又殺又砍，潮軍大亂，嚇得把營地燒掉，夾著尾巴逃竄。

令狐潮一連中計兩次，十分惱火，又調派了軍隊前來猛攻。張巡派了手下大將雷萬春在城上與令狐潮答話，賊兵用弩箭射之，雷萬春臉上一連中了六箭還一動也不動，令狐潮生氣的說：『這八成又是一個木製的假人。』

次日，令狐潮派人去打聽，才知道昨天確實是雷萬春本人。令狐潮遂在城下對張巡喊話道：『昨日見到雷將軍，才知道足下軍令如山，可惜天道不保佑你，你還是投降算了。』

『呸！你不知道人倫，又那兒曉得什麼天道！』沒多久，開城出戰，擒賊將十四人，使得令狐潮不敢再出來。

後來，安祿山再派河南節度使尹子奇攻睢陽，睢陽太守許遠也是一個忠貞之士，不願意投降敵人，就向張巡求救。張巡領兵入援睢陽，許遠對張巡說：『我是不懂一點兵事，公智勇兼備，今後我當爲公守城，公即爲我作戰。』於是他們開始分工合作。

閱讀心得

【第305篇】

張巡的牙齒。

安史之亂時，張巡苦守雍丘，又與許遠共同死守睢陽，奮勇不屈……肅宗至德二年，賊將尹子奇再圍睢陽，情勢愈發危急。張巡在城裏頭命令兵士們整晚大聲打鼓，打得尹子奇的軍隊通宵不安，而且隨時擔心張巡軍隊會追殺而出。

到了天亮了，張巡反而收兵息鼓，賊兵也累了，於是解甲休息。正在此時，張巡突然與大將南霽雲、雷萬春等十多位將官，每人各領五十騎，開門突出，直衝賊營，斬賊將五十餘人，殺了賊兵五千多人。

張巡想要幹掉尹子奇，可是賊兵如此之多，又怎麼知道誰是尹子奇呢？他心生一計，把蒿草削尖當成箭射出去。被射中的賊兵發現身上有點兒癢，卻並不痛，也沒有流血，再一看，敢情是蘆葦製的玩具箭，一個個大爲興奮，急著向尹子奇報告張巡的箭用光了。

張巡遠遠見到賊兵都湧向同一個人，心想，這準是尹子奇無疑了。立刻命令南霽雲朝此方向射去，把尹子奇的一隻眼睛打瞎了。

尹子奇變成了獨眼龍，簡直氣壞了，再率數萬大軍火攻睢陽，還是攻不下。可是睢陽城內的糧食快被吃完了，將士們每天只能分到一合米，米吃完了，只好改吃樹皮草根，張巡許遠也吃樹皮草根，還是不肯投降。甚

且有兩百名賊兵，被張巡的忠勇所感動，竟然棄賊來降，也加入睢陽死守行列。

這時，張巡決定派遣南霽雲冒險出城討救兵，向將領賀蘭進明乞援。南霽雲殺出城門，只帶了三十騎，賊兵數萬前來追殺。南霽雲雙臂馳射，左右開弓，竟然嚇得賊兵不敢靠近。突出重圍之後，他快馬加鞭來到了臨淮。

賀蘭進明見南霽雲滿身傷痕，狼狽不堪，心中暗忖『不愧爲一條漢子。』可是，他不準備分散兵力去解救睢陽。賀蘭進明慢條斯理的打著哈哈，用敷衍的口氣道：『你出來之後，睢陽城是不是已經失陷了，誰也不知道，我就是派了兵去，又有什麼用？』

南霽雲沒有料到千辛萬苦趕了來，賀蘭進明竟然是這副愛理不理的死樣子。心中惱火萬分，又不便發作，只有忍著氣說：『睢陽若已陷，霽雲以死謝大夫（指賀蘭進明），況且睢陽若是不守，臨淮也將不保，正如同皮毛相依一般，你怎可以見死不救！』

賀蘭進明不再與南霽雲討論出兵的事，只一個勁兒問他累了沒有，餓了沒有，硬要把他留了下來。搬出最好的酒席、最好的樂隊來招待他。賀蘭進明見南霽雲是個人才，希望他能爲己効命。

南霽雲的肚子咕嚕咕嚕的響，但是面對著香噴噴的山珍海味，他卻吃不下去。拿起了筷子，又放了下來，流著眼淚說：『霽雲此次前來之時，睢陽的人民已經有一個月沒有東西吃了，我雖然想一個人飽食一頓，實在嚥不下去。你坐擁強兵，坐觀睢陽被陷，沒有一絲分災救患之意，豈是一個忠臣義士的所為？』

說著，南霽雲把手指伸入口中，用力一咬，竟然啃下一個手指，鮮血淋漓，看著好怕人。他把手指往賀蘭進明前面一擺：『霽雲既然不能致達張巡主將之意，就留下這個手指，表示我確實來過這一遭。』

在座的人都為南霽雲的義薄雲天而流淚，接著南霽雲又餓著肚子，忍著悲憤，頭也不回地奔向睢陽。

睢陽城裏的人，自從送南霽雲出外討救兵，日夜盼望他早日歸來解圍。早也盼，晚也盼，到了最後，終於等到了南霽雲，卻帶來不好的消息，居民們不禁抱頭痛哭，捶胸頓足。

城裏面眞是一丁點兒糧食也沒有，有人建議棄城而走。可是張巡、許遠商量了半天，認爲睢陽一丟，江淮不保，賊人可以長驅直入，還是非守不可。

然而，靠什麼守呢？樹皮草根吃完了，開始吃馬，馬吃完了，又掘地鼠，最後地鼠也吃光了。張巡一狠心把自己的愛妾給殺了，叫大家吃人肉，跟著，城中婦人、老弱的男人都拿來吃掉，簡直慘絕人寰。不過，因爲上下都不願意落入賊手，遲早必死，寧可如此。

到了最後，只剩下四百多人了，賊兵又開始攻城，將士們又病又餓，實在不能再拚了。張巡撲通一聲，向西邊跪了下來，沉重的呼喊：『我已經力竭了，還是不能保住此城，生既無以報陛下，死當爲魔鬼以殺賊。』

不久，睢陽城陷了，張巡、許遠等都被活捉。

被張巡弄瞎一隻眼睛的尹子奇問道：『聽說你每次作戰，眼睛都睜得大大的，好像要用力把眼珠子擠出來，奇怪，你牙齒格格作響，這是什麼道理？』

『我啊，我恨不得一口吞了逆賊，可惜力量太小！』

尹子奇派兵用力抉開張巡的牙齒，發現僅存三、四顆，其他都被他咬碎了，這就是『爲張睢陽齒』的由來。尹子奇想勸他投降，手下的人都說：『他絕對不會爲我們効命的，留著是後患。』於是張巡、南霽雲等一併被斬。

閱讀心得

【第306篇】

顏杲卿的舌頭。

『疾風知勁草，板蕩識忠臣』，在安史之亂中，許多唐朝的大臣望風披靡，紛紛向安禄山投降。但是也有忠肝義膽之士，譬如說張巡、許遠，以及我們要介紹的顏眞卿與顏杲卿。

提起顏眞卿大家都很熟悉，知道他是唐朝的大書法家，尤其是他寫的『多寶塔碑銘』最爲流行，是楷書的標準字體。後人把顏眞卿和唐代的歐陽詢、柳公權，再加上宋朝的趙孟頫，合稱爲『歐、柳、顏、趙』四大家，凡是學寫書法，都要從此入手。

唐代的大書法家柳公權曾經說過『心正則筆正』，的確，顏眞卿的字體挺拔端正，一如其人格之方正。

顏眞卿生長在書香門第，他的遠祖是孔子最鍾愛的學生顏淵；他的五代祖，是南北朝時寫〈顏氏家訓〉的顏之推；他的從高祖，是唐朝初年著名的大學者顏師古。顏眞卿的父親很早就去世了，他是由母親一手扶養長大，對母親十分的孝順，在開元年間中了進士。

中了進士之後，顏眞卿被任命爲監察御史，當時五原地方有冤獄，久久不能決，顏眞卿到了之後，立刻予以平反。說起來也奇怪，五原地方正在苦旱，獄決之後天上嘩啦嘩啦下起大雨來了。當地人都高興地呼喊，說

這是『御史雨』。

後來，顏眞卿被調爲平原太守，他早就看出來安祿山會造反，爲著預防戰爭，主動找機會修築城池，疏濬溝壕，充實倉庫。安祿山知道顏眞卿在防備，但看他不過一個書生，十分輕視，沒有擺在心上。

過了沒多久，安祿山果然造反，河朔地帶盡陷，只有平原郡因爲有防備，沒有被攻下，並且積極準備抗賊。顏眞卿派了一個代表李平到京城裡向唐玄宗報告。唐玄宗正好接到河北郡縣皆望風披靡的消息，把軍報往地上一甩道：『河北二十四郡，難道就沒有一個愛國義士？』

等到李平來了，唐玄宗大爲高興，他說：『朕連顏眞卿長得是個甚麼樣子都沒有見過，沒有想到他竟然會做得這麼好！』嘖嘖讚嘆不已。

顏眞卿不但自己努力抗賊，還派遣親信的賓客到臨近的郡縣去，共謀大局。許多郡縣因此而響應，共同結成一股力量。

安祿山攻下洛陽之後，殺掉了留守李澄、御史中丞盧奕、判官蔣清，而且把這三個人的腦袋，讓段子光帶來見顏眞卿。意思是要威脅顏等，如果你們不趁早投降，也會落此下場。

顏眞卿恐怕兵士們看了害怕，喪失了鬥志，於是對諸將道：『我曾經見過這三個人，可不是這三顆腦袋的模樣。』他又擔心段子光散播謠言，動搖軍心，把段子光給腰斬了。

過了幾天，顏眞卿再把那三顆腦袋搬了出來，用蒲草幫他們三人紮了身體，勉強湊成一個完屍，好好放在棺材之中予以厚葬，表示對忠臣的尊敬。將士們看到顏眞卿的祭哭情形，益發敬重他的爲人，也更加同仇敵愾。

當時，顏眞卿的從父（伯叔的統稱）兄顏杲卿擔任常山（今河北正定）太守，也起兵反抗安禄山，兩人暗中聯絡。顏杲卿發檄文通告河北諸縣，說朝廷以榮王爲河北兵馬大元帥，率兵三十萬而來。郡縣將領聞之，士氣大振，紛紛殺掉賊人守將。於是，一時之間，遠近響應，共有十五郡重回唐朝麾下。

安禄山大爲光火，懊惱顏杲卿惹事，在天寶十五年派大將史思明前往常山。常山兵少，衆寡不敵，不到幾天，就完全被攻陷了。

安禄山派人把顏杲卿提到洛陽，親自審訊。

顏杲卿一路上吃盡了苦頭，到了洛陽之時，早已遍體鱗傷，狼狽不堪，一拐一拐的走向前來。

安祿山見到顏杲卿，破口大罵道：『你這個小子好沒有良心，你本來不過是范陽地方小小戶曹，我向朝廷保舉你爲營田判官，過了沒幾年，你才能超拔當上常山太守。我有什麼地方對不起你，你竟然要反叛我？』

『呸！』顏杲卿睜起銅鈴般的眼睛怒聲喝斥：『你呢？你本來是在營州地方牧羊的雜種奴才，當今天子賞識你，拔你爲平盧、范陽、河東三節度使，可說得上是恩幸無比，那一點對不起你？我家世代爲唐臣，祿位皆爲唐朝所有。不錯，我升官爲你所保奏，但還是唐朝政府所授，我怎麼會跟著你造反？』

顏杲卿一口氣說了半天，安祿山氣得渾身發抖。顏杲卿稍微一頓，又指著安禄山的鼻子，用更嚴厲的聲音指責道：『我爲國討賊，只恨我不能斬了你，那兒稱得上造反？你這個滿身羊臊氣的羯狗爲什麼還不殺了我？』

安禄山更氣了，霍地站了起來，拍著桌子道：『把他拖出去，綁在橋柱上，一刀一刀割他的肉，看他這片爛舌頭還敢不敢放肆？』

於是，顏杲卿被五花大綁捆在橋柱上，一刀一刀割顏杲卿的肉，一片一片的肉滴著鮮血而下。顏杲卿忍著刻骨銘心之痛，仍然罵個不停，一直到最後，一直到他嚥下最後一口氣，正像唐玄宗給顏眞卿的詔書中所說『卿之一門，義冠千古。』

無論顏杲卿的舌頭，張巡的牙齒，南霽雲的手指，都是讓我們後人所敬佩的。所以文天祥的〈正氣歌〉中：『爲張睢陽齒，爲顏常山舌；是氣所磅礴，凜烈萬古存，當其貫日月，生死安足論？』張巡守睢陽，齒牙皆碎，顏杲卿守常山，罵賊不絕口，這股廣大充塞的正氣，當它貫通日月，永存天地之間，生與死又何足掛齒？——這就是我中華民族的浩然正氣。

閱讀心得

【第307篇】郭子儀單騎退敵。

提起郭子儀郭令公，大家都很熟悉。許多歷史上的名將如衛青、霍去病都是年少得志。可是郭子儀稍露頭角之時，已經五十多歲快六十了。如果不是身體強健，怎能再在沙場上帶兵打仗？

郭子儀長六尺餘，體貌秀傑。父親郭敬之，歷任五州刺史。郭子儀長大以後，參加武科舉的考試，以高分錄取，一直擔任下級軍官的職務。

天寶十四年，安祿山造反，朝廷命令郭子儀以朔方節度使的名義戡亂。

郭子儀的人馬不多，可是他斬賊將周萬頃，又擊敗賊將高秀巖，聲威大振。第二年，安禄山的軍隊活捉顏杲卿，河北郡縣都落入敵手。郭子儀率軍反攻，他採用賊來則守，賊去則追，夜襲敵人的游擊策略。一連幾天下來，敵人已疲累不堪。然後，郭子儀發動大規模的攻勢，把賊將史思明打得披頭散髮，光著脚丫子，落荒而逃。於是，河北十餘郡縣都斬賊將迎接王師。

哥舒翰潼關失守之後，唐玄宗倉皇西奔，楊貴妃慘死於馬嵬驛。玄宗逃到四川，其子肅宗在靈武即位，而安禄山也自建國號爲燕國，大過皇帝癮。肅宗即位後，收集殘兵敗馬，重整旗鼓，其中最主要的一支力量就是郭子儀。他被任命爲兵部尚書，同中書門下平章事又兼靈州大都督府長史、

朔方節度使，可見得朝廷對他的重視。

不久，肅宗又命郭子儀去收復長安及洛陽兩京。正巧此時，安祿山被他的兒子安慶緒所殺，叛兵內部分裂。郭子儀請來了四千回紇兵幫忙，在長安城西邊香積寺的北面，展開了生死大戰。結果在一天之中，斬了賊兵六萬多名，長安城的老百姓，夾道歡呼，流著眼淚道：『沒想到這輩子還能見到官軍……』

唐肅宗在靈武得到捷報，欣喜萬分，親自到灞上去宣慰郭子儀的軍隊，對他說：『雖吾之家國，實卿之再造。』郭子儀叩頭謝恩。

自此以後，河東、河西爲賊所陷的郡縣，次第光復。只剩下安慶緒及史思明的殘部了，本來這是輕而易舉的事，偏偏唐肅宗表面上對郭子儀讚美不已，骨子裏仍然不放心他手握大權。於是藉口郭子儀與另外一位大將軍李光弼都是國家元勳，地位都差不多，誰統屬誰都不相宜，所以不設元帥，竟然找了一個什麼也不懂的太監魚朝恩監督他二人。

太監宦官者，本來是在宮中擔任掃除之類的家奴，可是從唐玄宗以後，宦官逐漸干涉起朝廷的政治。在唐朝的史料之中，宦官常奉皇帝差遣出外辦事，稱之爲『中使』。

魚朝恩不但得以干涉軍政，命令郭子儀等大將，而且後來又被任命爲國子監，等於國立大學的校長，專權使氣，公卿不敢仰視，連宰相也要怕他三分。每次討論軍國大事，都得以他的意見爲意見，而且他還頗爲張狂的說：『噢，天下事還有不由得我的嗎？』

魚朝恩十分嫉妒郭子儀的功勞，又憤恨郭子儀的威名當代無出其右。加上郭子儀是正人君子，不屑賄賂這種奴才，於是魚朝恩在肅宗面前大進讒言。最後，肅宗竟然藉故把郭子儀的兵權解除，把他的軍隊分交給李光弼及僕固懷恩兩人。

郭子儀的軍隊都氣壞了，甚且有人主張背叛朝廷，不必理會這個糊塗皇帝。可是郭子儀本人毫不在意，交出兵權之後，回到長安。

此時，唐朝軍隊發生一種很壞的現象，就是大將經常被部下所殺。肅宗非常憂慮，最後只有派郭子儀去鎮壓，肅宗對他說：『河東之事，一以委卿處理。』郭子儀一出馬，各方擁護，一會兒叛亂自停，軍紀恢復嚴整。

郭子儀不費一兵一卒，平定了亂事。回來之後，肅宗病死，代宗即位，除了信任原有的太監李輔國、魚朝恩之外，還加了一個新的程元振，三個人連成一氣，一塊兒攻擊郭子儀。

代宗也擔心郭子儀功高難制，居然派他擔任肅宗山陵使。讓一代名將去守肅宗的墳墓，實在太過分了，可是郭子儀仍然平靜地接受了任務。

此時，僕固懷恩勾結回紇起兵作亂。雖然僕固懷恩本人在半路上得病死了，這幾十萬叛軍還是繼續前進，朝廷大爲恐慌，只有再請出郭子儀。郭子儀此時已七十九高齡，仍然不計前嫌，老將再度出馬，一共只帶一萬多人馬。

他的部屬對兵力懸殊都十分著急。郭子儀卻胸有成竹，率了三千騎兵一馬當先。

回紇問：『這是誰？』

『郭令公啊。』

『郭令公還活著？』回紇大爲吃驚：『僕固懷恩告訴我等，天可汗已棄四海，令公亦謝世。』

郭子儀急著要去見回紇，諸將諫曰：『戎狄之心，不可信也。』郭子儀不肯。諸將又諫：『否則，請選鐵騎五百衛從。』郭子儀還是不肯，他大手一揮道：『此足以壞事。』

説著，郭子儀脫去盔甲，擲去槍矢，緩緩騎馬而來。大家一看，果然是郭令公，爭相捨兵下馬齊拜曰：『果吾父也。』

就這樣，郭子儀又平定一場亂事，他眞是中國忠勇精神的代表！

閱讀心得

【第308篇】

百代畫聖吳道子。

唐朝除了提倡詩書，並提倡繪畫。唐初有大畫家閻立本，專攻人物寫生，爲唐太宗所愛重。到了唐玄宗時代，宗室李思訓，善畫金碧山水，其子李昭道畫得也很好，人們稱之爲大李將軍、小李將軍。此外，詩人王維是寫意山水之宗師，還有，就是百代畫聖吳道子。

吳道子，唐朝開元年間陽翟人（今河南禹縣），初名吳道玄，後來改名爲道子。他的身世淒涼，很小父母就過世了，家境清寒又寂寞。一個人喜歡塗塗抹抹，不到十二歲就已經畫得相當不錯了。

他年輕時曾當過韋嗣位之家臣，又在山東擔任過典獄官。此時正是唐朝宗教壁畫大行之際，吳道子對此產生強烈的興趣。他到處認眞觀摹，然後自成一家。

唐玄宗是一個風雅之君主，玄宗聽說吳道子的畫名，特別任命他爲宮廷畫師，更提升他爲寧王友。寧王是唐玄宗之長兄，『友』是唐朝的官名，意思是陪伴親王的一個清高之職位。

吳道子在長安城，聲譽日隆。據說有一天，有個和尚要他樂捐，他大言不慚簽下十萬金。

和尚見吳道子兩手空空，不敢相信。吳道子也不答辯，捲起衣袖開始

在廟裏畫菩薩。等到佛像都畫好了，和尚卻發現這些佛像都沒有眼睛。

『你到外頭宣佈一下，想看我爲佛像開光的得捐錢。』吳道子胸有成竹地對和尚吩咐。

不一會兒，搶著開眼界的觀衆已湊足十萬錢，還有許多擠不進來的男女老幼把廟外堵得水洩不通。

吳道子拿起畫筆，在每個佛像上輕輕這麼一點，哇，所有的佛像彷彿活了起來，大家都拍手叫好。接著他以『立筆揮掃，勢若風旋』之氣魄爲佛像畫上圓光；他沒有用尺，竟然畫得這麼圓，而且栩栩如生。每畫一筆，觀衆就驚訝地大叫，喧呼之聲響遍全城。

經過這場戲劇性的表演，吳道子三個字聲名大噪。據《歷代名畫記》

的記載，在當時，他的畫已賣到屏風一片，值金兩萬。

吳道子成爲宮廷畫家之後，得以跟隨唐玄宗行萬里路，旅遊各地，更開拓了藝術的視野。

在洛陽，吳道子遇見了大書法家張旭及舞劍名手裴將軍。

裴將軍請吳道子送他一幅畫。

『這個沒問題，不過，我慕將軍之名久矣，假如將軍能爲我舞一曲，可助我揮毫。』吳道子也順便提出自己要求。

於是裴將軍舞了一曲，吳道子當場揮毫，然後張旭落款。這三種藝術之美結合在一塊，旁觀者大飽眼福，連連讚嘆：『一日之中獲觀三絕。』

吳道子不但畫人物有一套，山水、草木、臺殿無不精妙。

天寶年間，唐玄宗聽說四川嘉陵江風景優美，自己又不能去；於是派吳道子前往寫生，命令他把沿途景物一一畫下來。

吳道子回來之後，唐玄宗迫不及待想看畫冊，不料吳道子一張都沒畫。唐玄宗正要發脾氣，吳道子微微一笑道：『臣無粉本（草稿底本），並記在心。』

於是，唐玄宗命令吳道子在大同殿上作壁畫。吳道子眞是天才，竟然在一天之間就把嘉陵江水的旖旎風光畫了出來。

同時代的李思訓也是畫山水的名家，唐玄宗也曾請他在大同殿上作壁畫，他仔仔細細畫了六個月才完成。唐玄宗看了他倆的畫，頻頻點頭道：『李思訓數月之功，吳道子一日之跡，皆極其妙。』

吳道子不但會畫人，還擅長畫鬼，他有一幅最有名的畫——地獄變相。

地獄變相之中並沒有上刀山、下油鍋，可是那陰陰慘慘的氣氛表現得很好，讓人看了腋汗毛聳，不寒而慄。相傳當時有些壞人，看了他的畫，很害怕死了以後會下地獄，晚上做夢都不安穩。從此放下屠刀，重新做人。可見吳道子的畫還有警世作用。

宋朝的蘇東坡曾經讚美吳道子的畫：『不論左面看、右面看；橫面、斜面、平面、直面各方面的比例都很正確，簡直與眞人一樣。這種熟練的技巧，只有他一個人。』

蘇東坡的話，用現代術語來解釋，就是吳道子素描基礎好，所以比例正確。但是要做一個好畫家，單單素描基礎夠，畫得像還是沒有用的。如果只求一模一樣，有照相機就夠了，何必還要畫？正因為如此，吳道子到四川去，並不寫生，而是把大自然之美納入胸中，再把名山大川用畫筆表現出來。

吳道子畫中人物的衣服裙帶，總像被風飄起，有『我欲乘風歸去』之美，後人稱為『吳帶當風』。他又喜歡在著墨之畫面上，用彩筆輕輕掠過，使得畫中人彷彿要款款步出，後人稱之為『吳裝』。還有人形容，你瞪著大同殿的壁畫看，看久了，耳中自然響起淙淙流水聲，雲霧似乎也自壁中飛出。

總之，吳道子的畫，氣韻生動、渾然天成，大手筆、大氣魄，甩開六朝以來美麗細緻小家子氣的時尚，使我國的繪畫藝術向前大踏步，因此被尊為百代畫聖。

閱讀心得

【第309篇】

王維巧扮樂工。

唐朝詩風鼎盛，除了詩仙李白、詩聖杜甫之外，最負盛名的就是田園詩派的代表人物——詩佛王維。

王維字摩詰，山西太原人，他是一個天才兒童，九歲就能寫文章。當王維十九歲時（開元七年），進京打算參加京兆府的考試。到了京裏，卻聽說公主已經把第一名的許給了張九皐，張九皐是名相張九齡的弟弟，王維覺得十分洩氣。

這時的王維年少風流，會作詩，會寫曲，還會彈琵琶，京裏的貴人都喜歡與他交往，唐玄宗的四弟岐王特別看重他。

王維對第一名內定張九皐一事甚感不平，他跑去找岐王爲他說情。岐王沈吟半天，十分爲難。最後對王維說：『公主的心意已定，不便與她相爭。這樣吧，你回去先抄錄十首寫得最好的舊詩，另外用琵琶再譜一闋哀怨的抒情曲，五天以後再回來找我。』

五天之後王維又來到官邸，岐王把他打扮成樂工的模樣，帶著琵琶尾隨岐王，混在藝人之中，進宮見公主。

岐王帶著一批樂師歌伶到了公主府第，客人們到齊了就開席。樂工們依次而上，公主一眼就發現了其中有位樂師面貌白皙，文質彬彬，又年輕

又英俊，氣質與一般伶工大不相同。

公主指著王維，轉身問岐王：『這是何許人？』

『一個琴師。』

『噢，彈一曲來聽聽。』

於是王維輕輕撥弄著琵琶，絃上流出哀切動人的樂章，大家聽了都爲之動容。

『快告訴我，這是什麼新曲？』公主極有興趣的問道。

王維恭謹的回答：『這是我作的新曲鬱輪袍。』

岐王趕緊在旁邊加上一句：『這位青年不但彈得一手好琴，而且詩詞都寫得很好。』

公主更有興趣了：『你可帶來自己作的詩文？』

王維立刻把原先準備好的詩卷呈了上去。公主看了幾遍，擡起頭來，臉上充滿了驚喜的表情：『這些都是我平日最愛讀的詩文，我一直以爲是古人的佳作，想不到是你寫的。』

興奮異常的公主立刻命令宮女伺候王維換掉樂工的衣服，重新更衣，坐在公主身旁。

王維風流蘊藉，文采不凡，光芒震懾了全場。

公主說：『像王先生這樣的人才，應該參加應試。』

岐王乘機說外傳已許給張九皐一事；公主笑笑：『那不過是旁人拜託的罷了。』

王維連忙站了起來，向公主辭謝。果然在開元七年，王維以優異成績被列爲第一名。

當時有一位寧王，看上了王府附近一位賣餅的女子，塞了一筆錢給她的丈夫，硬是討了回來，取名爲息夫人。

過了一年之後，寧王問息夫人：『你還想念賣餅的丈夫嗎？』息夫人低頭飲泣，寧王把她丈夫帶到宮中，兩人相見之下，默默流淚，舉座都爲他倆傷感。

寧王命令各個賓客賦詩一首，王維的才情高，一揮而就：

莫以今時寵，而忘舊日恩；
看花滿眼淚，不共楚王言。

王維的詩寫好了，衆人稱讚不已，沒人敢再獻醜，寧王也因此讓息夫人重回丈夫的懷抱。

兩年之後，開元九年，王維中了進士，年紀輕輕就作了大樂丞的官，又歷任中書舍人，左補闕，天寶末年又擔任給事中一職。此時，他與弟弟王縉（侍御史）均爲時人所景仰，可說得上是黃金歲月。

可惜，好景不常，安祿山起兵造反，漁陽鼙鼓，潼關失守，攻入長安，王維被俘。

王維不願爲安祿山做事，服藥下痢，僞稱有重疾，被拘禁在古寺之中。

可是，安祿山早已風聞王維的大名，派人把他送往洛陽，強迫他在僞政府中任職。這時，安祿山爲效法玄宗，把自長安捉來的梨園弟子關在凝碧寺，強迫爲他奏樂。其中有一個樂工雷海清，忍無可忍，把樂器一甩，西向痛哭，安禄山氣極，當場把雷海清殺了，王維觸景生情，寫了一首詩：

萬戶傷心生野煙，百官何日再朝天？
秋槐葉落空宮裏，凝碧池頭奏管弦。

意思是説萬民傷心欲絕，遍地都是野火狼煙，文武百官要到那一天才能再朝見天子！秋天槐樹樹葉飄落在空無一人的皇宮之中，在凝碧池畔有賊兵在演奏音樂。因爲這首詩表明心跡，因此後來唐朝收復長安之後，王維沒有因爲在僞政府做事而判罪。

可是自此而後，他生活思想上大起變化，領悟到功名富貴之無味，轉而傾向佛家，皈依於大自然，造成他晚年的閒適生活，長年食素，不衣文采，退朝之後，焚香禪誦。

他不但能詩，而且能畫，蘇東坡讚美他『詩中有畫，畫中有詩』。他的山水畫與田園詩相映成趣，詩樂圖畫無一不精，可以說是一位多才多藝的藝術家。

閱讀心得

【第310篇】謫仙詩人李白。

『床前明月光，疑是地上霜；舉頭望明月，低頭思故鄉。』這是一首幾乎所有中國人都會背的唐詩，提起李白二字，也是炎黃子孫最熟悉的歷史人物。在講過唐玄宗、安禄山的故事之後，我們再來談李白，可能大家對他的時代背景會有更深一層的認識。

李白到底是那兒人？誰也不敢肯定，有人說他是蜀人，有人說他是山東人，比較可靠的說法應該是隴西（甘肅）人。在隋朝末年，李白的祖先被判了罪，被貶到西域去。

據說，在唐武后年間，有一位姓李的人的妻子，晚上做了一個奇怪的夢，夢到太白金星掉到懷裏，她一嚇，猛然驚醒。第二天，生下一個小寶寶，爲著紀念這個奇怪的夢，就把剛初生的兒子取名爲李白，字太白。以後的人附會李白是天上太白金星下凡，難怪文采不凡。

在李白五歲的時候（唐中宗神龍初年），他父親想到一家人長久卜留在異域不妥當，尤其不適合李白的成長。於是，悄悄地帶著家小回到四川。

李白從小就聰明伶俐，又好學好問，十歲就通詩書。他在書裏看到張良、荊軻豪傑事蹟十分羨慕，跑到外面找教武的老師，一面讀書，一面學劍。他又學俠客道士在峨嵋山隱居，養成豪放豪俠的性格，飲酒賦詩的習

慣也是在這段時間養成的。

到了二十五歲，天性豪邁的李白過膩了隱士生活，他要到外面去開開眼界。於是到了襄漢、金陵……最後到了揚州，此時正是開元年間最富庶的時代，揚州處處皆是歌臺舞榭、茶樓酒館，還有許多四夷商人。李白對眼前景物目瞪口呆，興奮地與官員、富商相往來，一年之中，在揚州揮霍了三十萬金。

不久，李白娶了許圉師的孫女爲妻，許圉師做過唐高宗的宰相，爲人寬厚。在幷州救過大將郭子儀，又與孔巢父（他是孔子的三十七世孫，學問很好）等六人結交。一塊兒縱酒酣歌，隱居在徂徠山之中，人們稱之爲竹溪六逸，此時李白的詩名逐漸傳開了。

在天寶元年，李白又回到江南，這時他已經四十二歲了，認識了道士吳筠。吳筠的詩也作得很好，兩人惺惺相惜，成爲好朋友。後來，吳筠因爲詩名遠播，被召入京。吳筠向唐玄宗推薦李白，並且把李白的詩拿給玄宗看。玄宗自己也是一個文學修養十分深厚的皇帝，立刻也傳李白入京。

唐朝是詩風鼎盛的時代，長安更是當時人文薈萃之地，想要出人頭地並不容易。可是大詩人賀知章一見到李白的詩，極爲佩服，他對李白說：『子，謫仙人也。』意思是說李白簡直是神仙下凡，飄然超世。

於是，八十多歲的賀知章馬上再向玄宗推薦這位奇才。唐玄宗本來是位風流才子，一見李白倜儻不羈、瀟灑飄逸的模樣，大爲欣賞。立刻留他在宮裏吃飯，並且封他爲翰林。

從此，李白過著風流浪漫的生活，快樂似神仙。他後來回憶這段日子是『昔日長安醉花柳……風流肯落他人後。』杜甫〈飲中八仙詩〉形容他：『李白一斗詩百篇，長安市上酒家眠，天子呼來不上船，自稱臣是酒中仙。』這首詩不免誇大，不過唐玄宗每次找他，十之八九都在酒樓之中找到他，倒也不假。

天寶二年春天裏，唐玄宗的宮中，紅、紫、粉、白四色的木芍藥怒放著。玄宗下令在沈香亭中擺酒，把住在梨園中的樂隊召來助興，他挽著楊貴妃出來賞玩。

梨園子弟來了，請奏皇上，該演奏那首樂辭。唐玄宗想了一想，沒有一首適合眼前景物。他喝斥道：『那些個唱膩的俗曲不唱也罷，快，快去把李翰林找來。』

太監們趕緊分頭去找，找來了醉醺醺的李白，李白張開了醉眼，看到了美麗的貴妃與花朵爭艷，順手寫來，就是一首絕妙的樂府詩——〈清平調〉：

雲想衣裳花想容，春風拂檻露華濃；
若非羣玉山頭見，會向瑤臺月下逢。
一枝紅艷露凝香，雲雨巫山枉斷腸；
借問漢宮誰得似？可憐飛燕倚新裝。
名花傾國兩相歡，長得君王帶笑看；

解釋春風無限恨，沈香亭北倚闌干。

第一段的意思是：看到了絢麗的雲彩，想到貴妃的衣裳，看到了美麗的花朵，想到貴妃的容顏。當春風拂過窗檻，露水正濃時，更叫人驚歎貴妃的濃豔。這麼美的人兒，若不是在西王母住的羣玉山頭，那就只有在仙女所居的瑤臺的月光下才可能一見。

第二段的意思是：一枝豔麗的木芍藥經過露水的滋潤更芳香。有人說楚王曾夢見巫山上的仙女與他幽會，那是傳說而已，在現實漢宮中只有趙飛燕才有這種榮幸。不過漢代的飛燕仍要靠新粧襯托，那比得上貴妃麗質天生。

第三段的意思是：名貴的花、嬌豔的美人都在君王身旁，難怪他笑容滿面。當春風吹來無限悵恨時，倚著沈香亭的欄杆，久久不忍離去。

唐玄宗與楊貴妃讀罷讚賞不已。而〈清平調〉卻爲李白惹來一場禍事。

閱讀心得

歷代・西元對照表

朝　　代	起迄時間
五帝	西元前2698年～西元前2184年
夏	西元前2183年～西元前1752年
商	西元前1751年～西元前1123年
西周	西元前1122年～西元前 771年
春秋戰國(東周)	西元前 770年～西元前 222年
秦	西元前 221年～西元前 207年
西漢	西元前 206年～西元 8年
新	西元 9年～西元 24年
東漢	西元 25年～西元 219年
魏(三國)	西元 220年～西元 264元
晉	西元 265年～西元 419年
南北朝	西元 420年～西元 588年
隋	西元 589年～西元 617年
唐	西元 618年～西元 906年
五代	西元 907年～西元 959年
北宋	西元 960年～西元 1126年
南宋	西元 1127年～西元 1276年
元	西元 1277年～西元 1367年
明	西元 1368年～西元 1643年
清	西元 1644年～西元 1911年
中華民國	西元 1912年

國家圖書館出版品預行編目資料

全新吳姐姐講歷史故事. 13. 唐代/吳涵碧 著.
--初版.--臺北市；皇冠，1995〔民84〕
面；公分（皇冠叢書；第2479種）
ISBN 978-957-33-1223-9 （平裝）
1. 中國歷史

610.9 84006928

皇冠叢書第2479種

第十三集【唐代】

全新吳姐姐講歷史故事〔注音本〕

作　　者—吳涵碧
繪　　圖—劉建志
發 行 人—平雲
出版發行—皇冠文化出版有限公司
台北市敦化北路120巷50號
電話◎02-27168888
郵撥帳號◎15261516號
皇冠出版社(香港)有限公司
香港銅鑼灣道180號百樂商業中心
19字樓1903室
電話◎2529-1778　傳真◎2527-0904
印　　務—林佳燕
校　　對—皇冠校對組
著作完成日期—1992年01月01日
香港發行日期—1995年09月25日
初版一刷日期—1995年10月01日
初版二十九刷日期—2021年05月
法律顧問—王惠光律師

讀者服務傳真專線◎02-27150507
電腦編號◎350013
ISBN◎978-957-33-1223-9
Printed in Taiwan
本書定價◎新台幣150元/港幣45元